OB/SCENE FESTIVAL

# OB/SCENE FESTIVAL

# 2020

작업실유령

이 책은 2020년 10월 9일부터 29일까지 열린 제1회 옵/신 페스티벌을 기록한 책이다.

예술감독 김성희
프로덕션 총괄 김신우
프로덕션 김나영
커뮤니케이션 김보용
그래픽 디자인 슬기와 민
웹사이트 디자인 빠른손
번역 이경후
기술 총괄 김연주
무대 감독 김연수
음향 사운드인 글로벌 (이선영)
조명 이재만
영상 (주)베이직테크 (최영민)
기록물 촬영 고유희, 문소영, 박수환, 우종덕
진행 김서희, 나지경, 이주현, 장영민
협력 기관 문래예술공장, 아트 플랜트 아시아, (주)아르고스매니지먼트

주최 옵/신 페스티벌
주관 근미래우주선
후원 한국문화예술위원회

**◖◗◖◗**

본 축제는 한국문화예술위원회의 대한민국공연예술제
지원 사업의 일환으로 추진되었습니다.

프리 레이션을 추모하며

# 차례

김성희

# 옵/신 페스티벌을 열며

2007년 3월, 페스티벌 봄의 전신인 스프링웨이브 페스티벌 개막작으로 윌리엄 포사이스의 「흩어진 군중들」(Scattered Crowd)을 로댕미술관에서 선보였다. 미술관 공간에 수천 개의 풍선이 떠 있는 설치 작품. 윌리엄 포사이스의 눈부신 발레 테크닉을 기대했던 일부 관객은 이 작품을 '무용'으로 홍보했던 페스티벌 측에 기만당했음을 불평했다. 사실 그것은 '기교'로부터 무용의 궤적을 탈구시키는 하나의 파격적인 선언이자 거대한 질문이었다. 조형적 '춤' 동작으로부터 안무의 개념은 사물과 공간에 대한 신체적 사유로 장대한 여정을 떠난 터였다. 이어 페스티벌 봄을 통해 소개된 그자비에 르 루아, 제롬 벨, 보리스 샤르마츠와 같은 일련의 안무가들도 무수한 질문들을 던졌다. 안무란 무슨 의미인지? 무엇이 될 수 있는지? 사유와 존재와 언어에 어떤 변형을 가할 수 있을지? 혁신은 올바른 답이 아닌 통찰을 담은 질문에 있었다.

안무와 춤을 근간부터 풀어헤친 그들이 남긴 긴박한 과제는 세대가 바뀌고 문화가 바뀔 때 어떤 질문과 통찰이 그들의 질문을 잇거나 대체할 수 있을 것인가였다. 그것은 쉽지 않아 보였다. 세상이 변화하는 속도는 예술적 변혁의 속도를 뛰어넘었고, 국수주의와 신자본주의는 열려 있던 문들마저 걸어 잠갔다. 이제 언어에 기반을 둔 개념적 접근이 신자유주의의에 대한 저항으로 더 이상 유효하지 않을 뿐 아니라 모순적이게도 그 모습을 닮아 가고 있다는 스스로의 성찰까지 나온다. 자본주의에 맞설 예술의 역량은 무엇인가? 개념이 아닌 정동은 과연 그 역할을 해낼 수 있는가? 유튜브와 넷플릭스로 포화된 감각으로 상상할 수 없는 것을 다시 상상할 수 있을까?

옵/신 페스티벌이 조심스럽고도 날카로운 예술가들의 목소리에 주목하는 것은 자본주의로부터 탈출의 가능성을 논하는 것 자체가 순진하고 식상한 상상이 된 오늘 '그럼에도 불구하고' 고집스럽게, 비효율적으로 그 가능성을 찾는 그들의 예술적 태도 때문이다. 이러한 움직임은 단지 무용계에서뿐 아니라 다양한 영역에서도 함께 싹트고 있다. 끊임없이 새로운 것을 추구해야 한다는 강박을 멈추고 보이지 않고 들리지 않는 세계를 열어 주는 예술, 주체성을 강요하지 않고 우리를 무심한 풍경으로 데려다 주는 예술, 자연과 예술의 생태계를 재검토하고 우리의 삶과 다른 방식의 관계를 설정해 보기 위해 무모한 노력을 아끼지 않는 예술.

예술이 힘을 잃은 시대에 '그럼에도 불구하고' 예술이 아직도 할 수 있는 건 무얼까? 옵/신 페스티벌은 불가능한 것을 고민하는 예술가들과 함께 시작한다.

노경애

# 21° 11′

사람마다 다른 몸의 선들을 나타낸다.
그리고 그 몸의 선들은 조금씩 다르게 기울어진다.

사람마다 다르게 걷는다.
그리고 그 걸음들은 각각 다른 움직임이 된다.

뇌성마비 장애인은 비장애인과는 다른 움직임의 질감과 균형
점을 가지고 있다. 근육의 경직이 독특한 움직임을 발생시키
고, 중심축이 휘어진 몸은 복잡한 균형점을 생성한다. '불안정
함'은 '안정함'이 가질 수 없는 운동성을, '불균형'은 '균형'이 가
질 수 없는 다변성을 가진다. 「21° 11′」은 움직임의 가장 기본이
되는 행위인 '서기, 앉기, 걷기, 달리기, 뛰기'에 집중한다. 일견
단순한 동작들이 장애인과 비장애인의 몸에 담겨 무한한 선과
움직임의 조합으로 확장될 때, 견고했던 몸과 움직임의 기준은
흔들린다.

21° 11′

2020년 10월 9~10일
문래예술공장 박스시어터

콘셉트/안무: 노경애
드라마투르기: 박은주
창작/공연: 강보람, 김명신, 문승현, 송명규, 이민희, 천영재
음악: 김창래, 장태준
의상 코디네이터: 김은경
사진: 박해욱
후원: 한국문화예술위원회, 문화체육관광부, 한국장애인문화예술원

노경애, 「21° 11′」. 사진: 박해욱

허명진

# 바닥에서 황혼까지:
# 노경애의 「21° 11′」

안무가 노경애의 작업에서 우선적으로 눈에 띄는 것은 어떤 '파열된 풍경'이다. 이를 에드워드 사이드가 말했듯이 '늦음/말년성'(lateness)에서 비롯되는 것으로 본다면, 남은 시간이 많지 않으리라는 자각으로 인해 시간과 맞서 싸우는 하나의 방법과 같은 것으로 생각될 수 있다. 그러니까 이 '늦음/말년성'이라는 것은 무르익은 시간으로부터 흔히 떠올리는 성숙함, 화해나 타협, 조화로움의 징표와는 거리가 멀고, 오히려 화해 불가능성, 비타협, 난국, 풀리지 않는 모순 등의 국면들로 설명될 수 있을 것이다. 사이드에 따르면, 그것은 "일반적으로 용인되는 것에서 벗어나는 자발적 망명이며, 그것이 사라진 뒤에도 계속 살아남는 것"이며, 또한 "사회 내에 안착함으로써 얻게 되는 많은 보상들을 얻기에는 늦었다는 (그리고 이를 거부한다는) 뜻"이다.

　이번 작업에서 이러한 뒤늦음의 절박하고 통렬한 감각은 바닥에서부터 시작된다. 무용수들이 지면에 닿는 발바닥의 면적은 이미 상당 부분 쪼그라들어 버렸고 일반적으로 허용되는 그것에서 벗어나 간신히 지탱되는 상태이다. 우리가 바닥을 딛고 서 있는 그 자체를 언제 이렇게 의심해 본 적이 있던가. 뭔가가 발바닥과 지면 사이에 이미 일어났고, 그 한계를 시험하는 위태로움의 여파가 몸 전체로, 손끝과 머리카락 끝자락까지 퍼져 간다. 기존에 몸의 중심점이라고 생각되었던 지점이 탈구되고 그로부터 몸의 다른 부위로 옮겨지는 과정 하나하나가 새롭게 다가온다. 그 늦음의 감각은 사이드의 말처럼, "항상 시간을 일깨워 흐르게 한다. 그 말은 놓친 시간이든 딱 맞춘 시간이든 흘러가 버린 시간이든 아무튼 시간을 기억하는 하나의 방법"이다.

한편 뇌성마비 퍼포먼스 작가들과 무용수들이 함께한 이 작업은 무엇보다도 움직임 리서치의 힘이 느껴진다. 동작이 발생하는 필연적 지점을 찾아 나가는 접근이 돋보인 작업으로, 여기서 장애의 몸은 결핍된 무엇이라기보다 기존의 신체에서 의식하지 못했던 요소들에 주목하게 하고, 새로운 발견을 가능하게 하는 원천으로서 작용하는 것 같다. 특히 발바닥이 지면에 닿는 여러 양상들로부터 파생되는 움직임의 탐구에 기반한 일련의 장면들은 몸 자체의 물리성을 그대로 드러내면서, 존재 기반에 대한 사유로 이어지게 한다. 장애와 비장애 상관없이 움직임의 토대가 무엇인지, 균형과 버티는 힘이 어디에서 기인하는지, 재검토하는 계기를 제공해 주는 것이다.

이러한 바닥의 위태로움은 매우 근본적이다. 더 나아가 걷고 서고 달리고 머무르는 등의 지극히 평범한 동작의 조합이라 할지라도 기존에 받아들이는 그 의미의 범위와 경계 자체를 시험한다. 이를 가능하게 하는 것은 각자의 단독적인 몸이다. 어떤 도식에도 들어맞지 않으며 화해되거나 해결될 수 없는, 확고하지 않은 어떤 특성, 말하자면 고정되어 있지 않은 복잡한 균형점과 선들의 이탈로 인해 유기적인 종합으로 이어지지 않는 분절적인 특성이 두드러진다. 무너질 듯하면서도 기민하며, 파열적이면서도 풍요롭다. 몸 부분들 사이에, 몸과 몸 사이에 미묘하게 상반되고 충돌하는 힘들을 긴장 가운데 묶어 두고 있다. 그중에서도 여섯 명의 출연자 모두가 대각선으로 늘어선 장면은 그 구도의 엄격함만큼이나 각각의 몸 자체의 고유함이 부각되고 주목될 수밖에 없다고 보인다. 심지어 제목과 같은 각도의 기울어진 자세라 하더라도 모두 다르게 나타날 것이다. 이번 무대에서 각자 서 있고 기울어지고 중심을 잡는 그 양태들은 어떤 한 가지 기준으로 재단되거나 환원될 수 없는, 무수히 분산되는 다양한 국면들의 향연이다. 이는 특수한 몸, 혹은 장애의 몸이 개입되어서가 아니라 안무의 차원으로서 나타난다. 단지 어떤 몸에는 까다롭고 가차 없는 도전이라면, 어떤 몸에게는 그렇지 않을 수 있는 것이다. 이러한 가운데 무용수들의 몸과 움직임 자체가 주목되고 그 흐름과 속도에 집중할 수 있게 하면서, 장애인과 비장애인 무용수와의 교차, 엇나감, 상응 등을 통한 대위적 구성이 풍성하게 시도된다. 몸과 몸이 서로 방향을 바꾸어 가며 무대에서 원을 그리며 달리거나, 나란히 서서 뜀뛰기를 하는 등 중첩적 구도를 통해 비교가 아닌 차이의 영역으로 나아가며, 몸 각각마다 독자적이면서도 서로가 자극을 주고 교환하는 존재로 드러나게 된다. 더구나 몸 부분들이 서로를 침범하지 않으면서 병치되고 서로 조정을 거치는 트리오의 장면은 서로의 다름 가운데 자발적으로 공존하는 방식을 찾아가는 것처럼 드러나기도 한다.

　　이러한 각기 다른 몸 재료들, 움직임 요소들을 포괄하는 태도와 방식에 내재된 것은 수많은 몸의 조건들에 대한 일종의 현실 자각일 것이다. 여기에 병행되는 것은 앞서도 언급되었지만, 어쩔 수 없는 늦음/말년성의 감각이다. 프루스트가 등장인물을 지속으로서, 즉 시간을 일종의 신체로서 바라봤던 것처럼, 이 작업에서 시간의 감각은 몸에 의해, 몸 안에서 구현되고 있다. 말하자면 시간에 굴복하게 되면서도 거기에 맞설 수밖에 없는, 엇나가고 흔들리거나 무너질 가능성이 있지만 그것을 드러내는 데 주저하지 않는, 부정성과 함께하는 몸이다. 그러니까 아까 리서치에서 찾으려는 움직임의 필연성이라고 했던 것은 저항성과도 함께 바라보게 된다. 자연법칙에 순응하지만 자신의 권리를 포기하지 않고 반발할 수밖에 없는 것이고, 그럼에도 남은 시간이 많지 않다는 안타깝고 괴로운 자각이 수반된다는 것이다.

그러니 여기에는 실제로는 늦음/말년성을 도저히 넘어설 수 없다는 생각이 포함된다. 그것을 초월하거나 벗어날 수 없고 오히려 그것을 강화시킬 뿐이라는 것이다. 사이드 식으로 말하자면 화해 불가능성의 본질적인 연장이다. 가령, 당장은 비장애라고 생각되는 몸이라 하더라도 어떤 불가능성, 부정성의 국면은 어쨌거나 궁극적으로는 벗어날 수 없다는 것이다. 아무리 해도 그러한 국면에 맞닥뜨릴 수밖에 없게 하는, 그런 당혹스런 시선을 자신에게 돌리게 하는 순간을 비껴나갈 수 없다는 것이다. 그에 대해 생경하게 느끼고, 나는 아니야, 라고 말하고 싶지만, 마찬가지의 필멸의 존재라는 의식으로 돌아오기까지는 그리 오래 걸리지 않는다. 그것을 부인하거나 회피하지 않게 되다 보면, 장애나 비장애의 구분은 결국 무화되고 그 구분이 무의미함을 알게 되는 것이다. 이러한 과정에서 움직임과 몸에 대한 관습적 미감이 훼손될지 모르지만, 오히려 그 한계를 묘하게 넓히게 되는 것이다.

이처럼 이전에 쉽게 용인되던 것이 여지없이 부정되는 경험을 하게 되면서, 역설적으로 그 자체로도 매우 아름답다고 여기는 순간이 어느덧 떠올라 온다. 태양빛이 소멸하기 직전 가장 아름답게 하늘을 물들이듯이, 몸들이 바스러지거나 천천히 가라앉는 것처럼 보이는 마지막 장면에 추가되는 배경막의 조명은 대단히 이례적인 순간을 만들어 낸다. 느릿하게 분절되는 몸의 부분들은 황혼과도 같은 빛 속에 생동하며 더 없이 쓸쓸한 아름다움을 자아내는 것이다. 마치 석양을 바라보는 뒷모습과도 같이 등을 보이고 선 두 존재는 어떻게 손쓸 수 없는 그 취약한 서 있음 자체로도 충만하다. 늦음 혹은 말년의 감각이 보유한 아이러니한 아름다움의 극치가 아닐 수 없다.

서현석

# 무용의 황금 비율

「21° 11′」라는 작품 제목은 뇌병변 장애로 인해 기울어진 무용수의 몸의 중심축을 가리킨다. 노경애 안무가의 「21° 11′」에 등장하는 여섯 명의 무용수들 중 세 명은 실제로 뇌병변을 겪은 사람들이다. 그들이 무대에서 '정상인'들의 움직임을 그대로 따라 곧추서고 뛰고 몸을 기울이거나 팔을 뻗으려면 21도 11분만큼 기울어진 몸의 중심과 타협해야 한다. 통념적 아름다움은 그들에게 다다르기 힘든 선망의 대상이었다. 수년 동안 같은 이들과 워크숍을 진행해 온 노경애 안무가가 이들에게 줄곧 요청한 것은 '정상인'을 따라하려 하지 말고 본인만의 자연스러운 동작과 느낌을 찾으라는 것이었다. '공연 작품'으로 빚어진 그 결과는 놀랍다.

　「21° 11′」은 몸의 실험이자 형식의 실험이기도 하다. 일차적으로 그것은 '정상인' 관객이 스스로의 몸을 기울여 21° 11′에 새로이 기준을 맞추어 보라는 요구로 다가온다. 하지만 그 소박한 제안은 '다름'을 수용하라는 정치적 올바름의 평면적 계몽에 그치지 않고 그 속에 숨은 다른 감각을 선사한다. 무대는 '정상인' 무용수와 '비정상인' 무용수가 함께 펼치는 2인무의 병렬적 조합으로 구성되지만, 두 신체는 단지 비교를 위한 병치의 도구에 머물지 않는다. 차이에 기반을 두는 교차는 두 사람에게는 곧 상호 교감이기도 하다. 소소한 교감의 조각들은 인간 신체에 대한 고요한 통찰로 이어진다. 그것은 자아를 극복하는 과정이지만 변증법적 논증이 아니라 전체론적인 인식에 가까워 보인다.

노경애 안무가는 장애인들과의 다양한 협업을 기획하고 직접 실행해 오면서도 무용의 형식과 신체적 교감의 기본적인 조건들에 대한 탐구를 병행해 왔다. '정상인' 무용수들로 공연되는 「Mars II」는 탄성, 마찰력, 관성, 중력, 회전 등의 물리학적 개념을 (자막으로) 전경화하면서 무용수의 움직임을 관객이 해독하는 과정에 관찰적 예리함을 불어넣고 무대를 생경하게 재맥락화했다. 같은 지구인들의 몸짓에 익숙해진 지구인 관객들의 타성을 고요하고 침착하게 뒤흔들었고, 무대의 조형미에 대한 탐미적 독해는 몸에 대한 근본적 탐구가 공유되며 도리어 풍성해졌다. 「21° 11′」은 장애인들과의 공동체적 협업과 형식의 탐구라는 지금까지의 두 과제를 통합한 꼴로 현현한다.

'기울어진' 신체는 특유의 개성을 발산하며 아름다움의 규범적 기준을 초기화할 뿐 아니라 인간의 기본적인 조건에 대한 새로운 심미안의 생성을 자극한다. 그것은 단지 그들에게는 어려운 동작을 수행하는 과정에서 역력하게 드러나는 남다른 감내에 대한 인간적 존경이나 연민에 머물지 않고 추상화된 인간 신체의 깨지기 쉬우면서도 끈질긴 보편적 강직함(integrity)에 대한 경이로 확산된다. '한계'로 치부되는 조건들을 가능성의 활로로 재인식함으로써 '다름'은 예술적 직관의 살아 있는 재료가 된다. 노경애가 보여 주는 '안무'의 절차란, 이러한 재료들의 생명력을 키우고 돌보고 성숙하게 하는 일이다. 이들이 교차하면서 만드는 비물질적 현상을 설명하기 위해서는 새로운 용어가 필요할 듯하다. 평론가 허명진이 이 작품의 전 버전을 논하며 조르조 아감벤을 인용하여 "기존의 것이면서 기존의 것이 아닌 모순 사이에서" '탈창조'를 이끌어 낸다고 말한 것도 이러한 필요에 의한 것일 거다. 그리하여 무대의 조형적 구성은 사유와 물성이 맞물리고 사회적 일상과 숭고미가 교차하는 다른 차원으로 견인된다.

　사실 「21° 11′」의 구조는 소품처럼 평이하다. 시작 역시 예사로운 흡입력 없이 단조롭게, 슬그머니 진행된다. 무대를 둘러싸고 앉아 있던 무용수들은 순서에 따라 말 없이 무대로 걸어 나와 화려하지 않은 동작으로 듀오나 군무를 수행하고, 어떤 에너지나 모티브도 점증되거나 과장되지 않는다. 작품이 보이지 않던 새로운 아름다움을 드러내도록 하는 것은 시간이다. 그만큼 관객이 타성을 버리고 새로운 미의 기준을 설정하는 데는 지각과 기억의 발화가 필요한가 보다. 평평한 패턴을 따라 무심하게 작품 속으로 걸어가던 관객을 매복한 채 기다리는 것은 관람객 자신의 섬세한 감각이다. 모튼 펠드먼의 자유롭고도 순환적인 작곡을 연상시키는 두 연주자의 즉흥 음악 역시 불규칙한 파장을 무대에 개입시키며 다차원적인 형상에 공모한다. 고요한 반전은 그 누구도 눈치 채지 못하는 결을 따라 홀연히 무대를 뒤집어 놓는다.

　「21° 11′」을 본 한 미술 작가가 공연 직후 말하길, 수년 만에 다시 크로키를 해 보고 싶은 강렬한 욕동을 느낀다고 했다. 이 말은 예술의 근본으로 돌아가려는 의지가 전염되었음을 알리는 것처럼 들린다. 실로 이 미술 작가는 무용만이 가질 수 있는 근본적인 아름다움을 이 작품을 통해서 봤다고 덧붙인다. 크리스털 같은 투명한 빛이 비추어 내는 찰나들을 포착하고 싶어지는 게다. 오래전에 회화로부터 결별한 미술 작가를 다시 드로잉으로 돌아가고 싶게 만든 이 작품의 힘이란, 아마도 같은 무용수들과 함께한 오랜 시간과 땀과 신뢰의 견실하고 자연스런 결과일 것이다.[1]

춤은 거짓을 모른다. 몸은, 땀과 시간은, 거짓말을 못하니까. 거짓을 말할지라도 몸이 들통 내니까. 실로 이 작품에는 허세도 군더더기도 없는 진솔한 독백들이 충만해 있다. 고백처럼 과감하면서도 응대를 필요로 하지 않는 홀연함. 그만큼 안무가와 여섯 명의 무용수들은 많은 것들을 버리고 떨궈 냈을 것이다. 느슨한 듯하면서도 고도로 정제된 형태와 패턴은 그 이면의 수려한 공백을 그려 낸다. 서로 섞이지 않는 입자가 멀리서도 교감하듯, 거리를 유지하던 형상들은 서로 영향을 주는 듯싶다가 어느 순간 성큼 내면으로 들어와 있다. 그 파장은 격정적이면서도 동시에 냉철하다.

어쩌면 노경애 안무가는 이 시대가 필요로 하는 '황금 비율'을 찾은 걸지도 모른다. 직관과 규칙, 정동과 비평적 숙고, 의지와 타자, 형식과 즉흥의 상쇄와 보강을 통솔하는 정확한 기술. 그것은 수년간의 고달픈 시행착오와 인내심, 고갈되지 않은 삶에 대한 애착과 호기심으로부터 왔음이 작품에 명백하게 명시되어 있다.

'무용단'이라는 창작의 공동체적 모델이 점점 더 구현하기 어려워지는 이 시대에, '중견 안무가'의 도약을 지켜보기란 흔한 기회가 아니게 되어 버렸다. '신진'에서 '중견'으로 가는 길엔

---

1. 화가인 문승현 작가는 7년, 다른 이들도 1~5년 동안 교감해 왔다.

내적, 외적 난관들이 산재한다. 내적 도약을 위해서는 무언가를 버려야만 하는 것 같다. 열망이 가라앉고 깊은 에너지가 산출되기까지는 숙성의 시간이 필요하다. 무용에서 그러한 과정은 다른 매체와 달리 홀로만의 고뇌들을 타인의 몸과의 교감으로 승화하는 긴 과정으로 이뤄질 것이다. 그러한 예술적 성숙을 실시간으로 목격하는 건 실로 '아름다운' 일이다.

메테 에드바르센

# 오후의 햇살 아래 시간이 잠들었네

「오후의 햇살 아래 시간이 잠들었네」에서 퍼포머는 살아 있는 책이 되어 도서관에 소장된다. 도서관을 방문한 이들이 읽고 싶은 책을 고르면, 그 책은 독자를 도서관의 어느 장소로 데려가거나 바깥에서 산책을 하면서 자신의 내용을 암송한다.

살아 있는 책의 도서관이라는 아이디어는 레이 브래드버리의 소설 『화씨 451도』에서 출발했다. 화씨 451도, 그러니까 섭씨 233도는 책이 타기 시작하는 온도다. 작품의 배경이 되는 미래 사회에서는 책이 위험한 존재로 여겨져 금지 대상이 되고, 사람들은 지식과 생각이 행복을 저해한다고 믿는다. 책이 금지된 이 사회에서 어느 지하 공동체의 구성원들은 미래를 위해 책을 보존하려고 책을 외운다.

책을 외운다는 건 지난한 투여이자 계속되는 '하기'이다. 도달해야 할 결승점이나 실용적인 목표는 없다. 책 한 권을 외우는 행위는 끊임없는 기억과 망각의 과정이다. 정보와 지식이 대량으로 생산되고 흩어지는 오늘날 가장 비효율적일 수 있는 이 활동은 몸에 기억을 각인시켜 온, 몸에서 몸으로 '앎'을 전해 온 과거의 감각을 소환한다. 그 더디고 비생산적인 움직임은 시간의 속도감을 잠시나마 늦추고 유토피아적 공간감을 만들어 낸다.

오후의 햇살 아래 시간이 잠들었네
Time has fallen asleep in the afternoon sunshine

2020년 10월 10일, 11일, 17일, 18일, 24일, 25일
문래예술공장

도서 목록:
박경리, 『표류도』
미하일 불가코프, 『거장과 마르가리타』
앙투안 드 생텍쥐페리, 『야간비행』
채영호, 『벨기에에서 온 편지』

구상: 메테 에드바르센
살아 있는 책: 길경하, 김보용, 김하연, 이경후
사서: 이주현

메테 에드바르센,「오후의 햇살 아래 시간이 잠들었네」.『벨기에에서 온 편지』. 사진: 박수환

메테 에드바르센, 「오후의 햇살 아래 시간이 잠들었네」, 『거장과 마르가리타』, 사진: 박수환

메테 에드바르센, 「오후의 햇살 아래 시간이 잠들었네」. 『야간비행』. 사진: 박수환

메테 에드바르센, 「오후의 햇살 아래 시간이 잠들었네」. 『표류도』. 사진: 박수환

이한범

# 만약…

공연이 끝나고 집으로 돌아가기 위해 버스에 몸을 실었다. 이동. 몸이 어디론가 실려 간다. 정갈하게 마련된 도로 위에서 직진하는 버스를 성가시게 하는 것은 별로 없다. 이동하고 있음을 가능한 한 까맣게 잊게 만드는 것은 모빌리티의 윤리다. 기술은 빠르면서도 안락한 이동을 상상하고, 사회는 그 이동을 교통시키는 체계를 합의한다. 기술이 부족하고 합의가 느슨하면 우리의 감정은 예민해진다. 지하철이 제시간에 도착하지 않으면 짜증이 나고 비행기가 흔들리면 공포스럽다. 차가 막히면 불안과 지겨움이 함께 찾아오고 막다른 길에 다다르면 당혹감을 감출 수 없다. 이 정서는 무언가를 배제하는 것을 자연스레 정당화하는 무엇보다 강한 이유가 되기도 한다. 하지만 만약…

풍경이 흘러가는 창밖을 바라보며 생각에 잠겼다. 메테 에드바르센의 「오후의 햇살 아래 시간이 잠들었네」는 누군가가 책을 외우고 그것을 나에게 들려주는 공연이었다. 나는 30분 정도 누군가가 외운 책의 내용을 말로 전해 듣는다. 표면적으로는 그런 공연이었다. 공연이 준비한 몇 가지 책 중에서 나는 박경리의 장편 소설 『표류도』를 골랐고, 그 책의 첫 장을 들었다. 아니, 두 번째 장까지였나? 사실 잘 모르겠다. 확신하기 어렵다. 더 솔직

해지자면 들었던 단어와 문장의 9할은 잊히고 나머지가 드문드
문, 종이 위에 톡톡 떨어진 물에 번진 잉크와 엇비슷한 모양새로
기억에 떠다니고 있을 뿐이다. 『표류도』는 소설이지만 나에게
는 이야기로 남지 못했다. 며칠 뒤 한 친구를 만났다. 공연에서
무엇을 들었는지 그가 물었을 때 나는 거의 아무것도 얘기할 수
없었고 나의 형편없는 집중력과 기억력에 조금 부끄러움을 느
꼈다. 기억 못 하는 것이 당연하다고 생각했었는데 그 순간 막
상 부끄러움을 느끼니 조금 억울해졌다. 부끄러움을 만회하고
싶었던 건지 나는 소설의 내용 이외에 내가 그 시간 동안 보고
들었던 것에 대해 설명했다. 외우고 말했던 이가 문장을 기억하
기 위해 바짝 힘을 준 어깨와 등, 상기된 얼굴과 긴장에 경직된
입가의 근육. 잠시 숨을 고를 때 그 정적을 채우던 멀리서 들려
오는 기차 소리, 딴 생각, 부산스런 자세 바꾸기. 따가운 햇살이
바닥에 그렸던 윤곽이 선명한 그림자. 이야기의 상황에 이입한
목소리와 이입하지 못해 머뭇거리는 목소리가 자맥질하듯 번
갈아 오르내렸던 예측하기 어려운 리듬. 돌이켜 보니 나는 '그'
에 대해서 생각보다 자세히 기억하고 있었다. 한동안 나는 그에
대해서 생각했고 그는 더는 '누군가'가 아니었다. 그리고 그 다
음에는 나에 대해서 생각했다. 그가 말을 할 때는 그가 있었고,
그가 말을 더듬거나 멈출 때는 내가 있었다. 그가 기억을 복기
하기 위해 자신의 숨을 움켜쥘 때는 그가 잠시 나에게서 사라져
주는 시간이기도 했다.

　하지만 나는 이 공연이 특별한 관계와 특별한 순간에 대한
것이라고 서둘러 미학화하고 싶지 않다. 그와 나, 그리고 그와
내가 있었던 시간과 장소를 특권적인 것으로 강조하지 않겠다

는 것이다. 이 작품을 통해 다루어야 할 문제는 그보다는 우리 문화의 근원의 공식을 건드리는 행위 혹은 '하기'(doing)의 복잡한 의미에 관한 것이어야 한다. 그리고 이를 말하기 위해서는 공연의 표면적인 경험과 감상을 넘어서는 더 큰 프레임을 도입해야 한다. 공연 자체를 진실로 받아들일 것이 아니라 그것을 가능하게 한 조건을 되짚어 경험을 조작하고 조율함으로써 실재의 진실을 찾아 나가야 한다. 공연이 끝난 직후 이야기를 들려주었던 이와 짧은 후기를 나누면서, 나는 그에게 이 상황이 너무 낭만적이어서 조금 불편하기도 했다고 말했다. 공연의 시간은 의심할 여지없이 아름다웠다. 볕이 잘 드는 창가는 따뜻했고, 사람 없는 예술 기관 안의 적막은 평화로웠다. 나만을 위해 읊조리는 목소리에 집중하는 일은 값지게 느껴졌으며 이 공연을 중단시킬 폭력이 갑자기 일어날 것이라고는 상상할 수 없었다. 나는 이 시간이 조금 더 이어졌으면 하고 바랐다. 그래서 불편했다. 아름다움은 「오후의 햇살 아래 시간이 잠들었네」를 특별하게 만들어 주는 가치이기도 했지만 동시에 경계해야 할 것이기도 하다고 느꼈다. 그 평화와 낭만은 '책을 외우고 기억하여 타인에게 전한다'라는 행위에 위급함, 긴급함, 절박함이 전제되어 있다는 사실을 흐리기 때문이다. 현대인을 위로하고 근심 걱정을 잊게 만드는, 행복 에너지를 채워 주고 아름다움을 선물하는 책 읽어 주기 서비스는 적은 비용으로 쉽게 구할 수 있다. 나는 「오후의 햇살 아래 시간이 잠들었네」가 그것들과 근본적으로 차이가 있음을 말하고 싶다. 그러기 위해서는 낭만과 아름다움을 자아냈던 '단 한 번의 특별한 순간'이라는 공연의 경험을 벗어나 그것의 반복을 시뮬레이션해야 한다. 반복! 반복은 이 공연이 보여 주지 않지만 이 공연이 가장 중요하게 다루는 퍼포먼스의 핵심적인 개념이다.

　이 작업이 싹을 틔운 씨앗, 하나의 가정으로 돌아가서 생각해 보자. 오늘날 누가 굳이 책을 외우는가? 이 행위는 사실 아주 이상하고 일상적이지 않은 것이다. 나는 글쓰기를 삶 속에 깊숙이 품고 있고 책을 만드는 일을 직업으로 삼고 있다. 내 삶의 많은 시간을 글을 쓰고 책을 만드는 데 쓴다는 말이다. 하지만 나는 책을 외우고 그것을 말로 전해 보기를 시도해 본 적이 없다. 책은 기억을 대신하게 하기 위해, 그리고 말과는 다른 지식을 생산하기 위해 만들어진 것 아닌가? 그러니까 굳이 그렇게 해야만 하는 이유가 없이는 책을 외우고 말한다는 행위는 성립하지 않는다. 책을 기어코 외워야만 한다면 그 이유는 무엇일까? 메테 에드바르센은 「오후의 햇살 아래 시간이 잠들었네」가 레이 브래드버리의 소설 「화씨 451」에서 기인했다고 말한다. 이 소설에는 책이 금지된 사회에서 책을 보존하기 위해 그 내용을 외우는 사람들이 등장한다. 책이 곧 불태워질 운명이고 책을 가치 있게 생각하는 사람들이라면 책을 외우기로 결정하는 것은 자연스러운 일 같다. 위기를 모면하려면 일단 책이라고 인식되는 물건의 외양에서 벗어나야 하고 그 물건이 담은 내용을 다른 그릇에 옮겨야 한다. 언어가 기록되고 저장될 수 있다는 점에서, 또 그 기록을 보여 주거나 말하는 방식으로 전달할 수 있다는 점에서 책과 인간은 엇비슷한 매체처럼 보인다. 하지만 정말 그럴까? 「오후의 햇살 아래 시간이 잠들었네」가 정말로 우리에게 보여 준 것은 책이 된 인간이 아니다. 오히려 그것의 불가능성을 보여 주고 그 불가능성은 우리가 학습한 시스템을 구조적으로 이해할 수 있게 한다. 책이 되고자 하는 인간 앞에서 우리는 책 앞에서 보지 못했던 것들을 인지한다. 지식이 생산되고 전달되는 체계가 급격하게 변했다. 나는 어떤 프레임에서 다른 어떤 프레임으로 이동하는 중인 것이다.

나는 한동안 기록과 전달의 매체로서의 책과 인간을 나란히 놓고 생각했다. 책은 곰곰이 곱씹어 볼수록 더욱 의뭉스러운 사물임이 분명해졌다. (무언가를 말하고 보여 주는) 텍스트와 이미지가 담겨 있을 뿐만 아니라 저마다의 크기와 무게, 질감 그리고 의미심장하게도 페이지라는 인터페이스를 지닌 구체적인 물질이다. 또 오늘날의 책은 대량으로 생산되어 불특정 다수에게 상품으로 유통되고 심지어 헌책방이나 도서관 같은 이후의 삶을 위한 장소도 있다. 책을 단순히 그 안에 담긴 이야기의 줄거리와 등치시키지 않고 세계 안에서 긴장과 흐름을 만드는, 그리고 실제로 변화를 불러일으키는 힘의 전달을 수행하는 사물로 이해한다면 인간의 몸 또한 그만큼 복잡한 맥락에서 다루어야 한다. 책이 지식을 담을 뿐만 아니라 지식을 생산하는 방법이라면 몸 또한 그러하다. 퍼포먼스 학자 다이애나 테일러는 퍼포먼스를 사회적 지식, 기억, 문화, 정체성을 생산하고 전달하는 필수적인 행위로 여긴다. 작은 몸짓부터 제의나 공연에 이르기까지 퍼포먼스는 한 사회와 문화가 오랜 시간에 걸쳐 반복하고 수행한 것을 축적하고 있기 때문이다. 반복의 '레퍼토리'(the repertoire)가 생산하고 전달하는 지식은 쓰기와 출판이 생산하고 전달하는 지식과 다르다. 문자가 없다고 해서 그곳에 역사가 없고 지식이 없는 것이 아니다. 만약... 책이 없었다면 우리는 무언가를 배우고 기억하기 위해 반드시 타인을 만나고 그를 바라보고 몸짓을 섞어야 했을지도 모른다.

인간 문명 안에는 무수히 많은 앎의 방법이 혼재되어 있지만 지식을 표상하는 데 있어서는 책의 문화가 압도적이다. 여기서 책의 문화란 문자와 이미지의 사용, 그리고 인쇄와 기술 복제 문화 전체를 아우르는 광의의 영역이다. 보통 우리는 책을 쓰는 사람을 지식인이라고 부른다. 하지만 분명 우리의 일상에서 몸을 통한 배움은 매우 자주 일어난다. 최근 내가 목공을 배우면서 깨달은 것은, 공구의 가장 적절한 사용법은 그 공구를 사용하는 목수의 몸을 보고 따라하는 것에서 시작된다는 것이다. 지식의 생산과 전달은 다양한 방식으로 일어나고 진실은 온갖 형태로 드러나지만 이에 대한 우리의 인식은 대체로 비대칭적이다. 문자와 인쇄 문화는 현재의 인간을 구축하는 하나의 큰 역사적 힘이며, 그렇기에 인간은 끊임없이 책을 새롭게 발명하려 한다. 책은 인식의 방법 자체이자 문명의 네트워크에 개입하는 강력한 사물이다. 때문에 책이 사라진다는 것은 단순히 책이 품은 내용이 소멸한다는 것만을 뜻하지 않는다. 그것은 거대한 인식 체계의 변화, 지식과 기억의 생산, 이동, 전달을 수행하는 패러다임 전체의 전복을 뜻한다. 책이 사라지기 위해선 우리에게 익숙하던 무언가가 필연적으로 파괴되어야 한다. 아니 책이 사라지면 우리에게 익숙하던 무언가가 필연적으로 파괴된다. 그런 점에서 '만약... 책이 없었다면'과 '만약... 책이 없어진다면' 사이의 간극은 아득하다. 전자가 SF적이라면 후자는 혁명적이다. 물론 '무한한 반복'이 도입된다면 두 가정은 하나의 실제에서 만날지도 모르겠지만 말이다.

때문에 '만약... 책이 없어진다면'을 가정하는 「오후의 햇살 아래 시간이 잠들었네」가 위급함, 긴급함, 절박함에서 시작한다는 것을, 파괴와 그 이후에 뒤따를 반복을 상상해야 하는 서사라고 받아들이는 것은 옳다. 이 서사의 시퀀스를 따져 보자면 「오후의 햇살 아래 시간이 잠들었네」는 가정이 하나의 상황이 된 도입부에 해당된다. 문자화된 지식을 몸에 다시 기입해야만 하는, 책을 통한 앎에 맞춰진 지식을 그와는 다른 앎의 방법인 몸으로 수행해야 하는 부자연스러운 시간이다. 나의 앞에서 책을 외워 말하는 이는 끊임없이 말을 중지하며 문장을 복기하려고 애썼고, 나는 그의 이야기보다 그의 몸짓에 더 주의를 기울였다. 우리는 무언가를 하려 했지만 그것은 사실상 우리가 자석처럼 끌려갔던 방향을 잊기 위해 노력하는 과정이기도 했다. 때문에 이것은 그의 퍼포먼스이기도 하고 나의 퍼포먼스이기도 하다. 어설픈 합 맞추기였고, 아직 합의되지 않은 대화였다. 내가 더 적극적으로 그의 몸짓을 응대하지 않는다면 아마 많은 것들이 오후의 햇살 속으로 흩어졌을 것이다. 이 참여가 만약... 여기저기서 쉼 없이 반복된다면 어떤 심대한 변화가 일어날까? 결론 아닌 이 질문은 「오후의 햇살 아래 시간이 잠들었네」가 이념을 다루는 작업으로서 다른 현재를 추동하는 가시적인 흐름을 모의실험하는 것임을 알려준다.

공연을 보고 집으로 돌아가는 버스 안에서 나는 모빌리티와 정동의 관계에 대해서 곰곰이 생각했었다. 「오후의 햇살 아래 시간이 잠들었네」에서 외워 말하는 이가 읊조림을 중단하고 지체했을 때, 그가 다시 언제 입을 열지 가늠이 안 됐을 때, 그러니까 전달이 돌연 중단되었을 때 사실 나는 내가 어떤 기분을 가져야 하는지 조금 헷갈렸다. 답답하고 짜증이 날 것 같았는데 그렇지 않았다. 그 지체와 중단 사이사이에도 너무 많은 움직임과 흐름이 이어지고 있었고 그것이 내게 드러났기 때문이었던 것 같다. 그러니까 그 지체와 중단은 오히려 더 실재를 강하게 지각하게 해 주었다. 지연, 지체, 부정확함, 간섭, 방해가 필연적으로 부정적인 정서를 불러일으키지는 않는 것 같다. 그 또한 맥락에 좌우된다. 그 맥락이란, 길을 잃거나 잘못 배송되는 일을 허용하는 윤리일까? 적어도 「오후의 햇살 아래 시간이 잠들었네」에서 그것은 허용되어야만 했던 것이었다. 모의실험은 언제나 윤리와 얽혀 있다. 아니 언제나 윤리를 모색하기를 요구한다.

이경후

# 기억과 망각이 변화시키는 시공간

책은 끝까지 외울 필요도 없고 본론이나 재미있는 부분에 이르지 못해도 상관없다. 다만 한두 쪽을 외우고 책 외우기를 해 봤다는 '아이디어'에 그치는 것이 아니라 외우는 행위를 꾸준히 실행하고 실천하며 전념하는 것이 중요하다.

— 메테 에드바르센

노르웨이 작가 메테 에드바르센의 작품 「오후의 햇살 아래 시간이 잠들었네」에서는 살아 있는 책 한 권과 한 명의 독자가 조우한다. 한국에서는 총 네 권의 책이 약 두 달 반의 기간을 거쳐 태어나 세 번의 주말을 통해 독자와 만났다. 독자들은 문래예술공장 안에 마련된 공간에서 근거리의 신체를 매개로 30분가량 자신이 선택한 책을 읽었다. 냄새도 있고 무게도 있고 모양과 색깔도 있고 촉감도 있는 책을 펴서 읽는 그 친밀하고 고독한 경험에 더해진 것은 사람의 음성, 약간의 눈맞춤, 그리고 망각의 가능성이 주는 약간의 위태로움이었다. 한국에서 대출 가능했던 책은 박경리의 『표류도』, 앙투완 드 생텍쥐페리의 『야간비행』, 미하일 불가코프의 『거장과 마르가리타』, 그리고 개인적인 편지를 모은 채영호의 『벨기에에서 온 편지』였다.

책을 외우는 과정은 단순히 공연 준비의 과정이기도 하고 자칫 '얼마나 잘할 수 있느냐'를 떠올리게 하는 활동이기도 하지만, 내용을 능숙하게 외운 승자가 아니라 살아 있는 책이 된다는 개념을 경유함으로써 흥미롭고 풍부한 의미와 질문으로 이어질 수 있었다. 예술은 와인이 예수님의 피가 되는 마법을 믿어야 몰입하기 쉽지만 기한 내에 일정 분량 이상을 외워야 하는 과제를 떠안은 채 내가 살아 있는 책이 된다는 마법을 받아들이기는 쉽지 않다. 그런 동시에 그 마법적 설정은 에드바르센과의 만남이 시작된 8월경부터 쉬지 않고 내 안에서 목적지를 알 수 없는 열린 동력을 만들어 내고 있었을 것이다. 내가 외우는 정보는 저장되어 있음과 없음, 저장된 분량 등을 정확하게 가늠할 수 있어서 내가 가진 다른 정보나 지식과는 질적으로 다르게 느껴지기도 했고, 자판기 버튼처럼 꾹 누르면 술술술 빠져나오는 책의 내용은 길고 가느다란 끈이 되어 내 몸 안에 똬리를 틀고 있는 것 같기도 했다. 그러나 살아 있는 책이라는 설정이 나에게, 독자에게 어떤 의미인지, 어떤 의미가 될지는 실질적으로 이해하거나 예측하기 힘들었다.

외우는 과정 속에서 네 권의 책들은 장면의 실제적인 이미지를 떠올린다거나 책 페이지에 적힌 글자의 형식적인 위치에 의존한다거나 꼭 책상 앞에 앉아야 한다거나 하는 암기의 '요령'들을 터득해 갔다. 특히 에드바르센은 소리 내어 읽는 과정을 가능한 한 빨리 시작하는 것이 좋을 것이라고 했는데, 입과 혀를 비롯한 몸의 근육들이 움직임에 익숙해지고 텍스트의 소리에 두 귀가 익숙해지는 일 역시 암기의 큰 일부이기 때문이었다. 나의 경우 '방대한 분량의 반종교적인' 같은 구절에서 반복

되는 'ㅂ' 발음이나 3-3-7 박수처럼 리듬이 들어찬 "때마침 / 담
배가 / 떨어진 / 시인이 / 음울한 / 어조로 / 물었다"와 같은 문장
구조는 잊기 힘들었다. (당시엔 잘 외워지는 것이라고 생각했지
만, 이제는 '잊기 힘든' 것이 되었다는 걸 깨닫는다.) "귀찮게 해
드려서 죄송합니다만 / 제가 이해한 바에 따르자면 / 다른 것들
은 둘째치고라도 / 두 분께서는 아직 신을 믿지 않으시는군요?"
처럼 네 부분 중에 요점은 몽땅 한 부분에 몰려 있는 잉여로운
문장이 언제나 옳게 흘러나오는 것도 놀라웠다. 처음 외우려고
할 때 글자 수의 리듬이나 발음, 혹은 특정 단어를 아주 과장되
게 내뱉고 나면 기초가 탄탄하게 잡혀 기억에 잘 들러붙었고 내
용을 생각하면서, 얌전하게, 소리 없이, 눈을 감고 속으로 우아
하게 외운 부분은 마지막 날까지도 제대로 조립되지 않았다. 우
리는 이따금씩 온라인으로 만나 에드바르센과 함께, 혹은 에드
바르센 없이 각자의 경험을 공유하고 질문을 나누었다.

　　어렸을 때 암기 과목을 잘 못했는데 새로운 재능인가 싶을
　　정도로 이렇게 외우고 있는 것이 믿기지 않는다. 믿기지 않
　　아서 진짜로 외운 게 맞나 되풀이해 보기도 한다.
　　　　　　　　　　　—앙투안 드 생텍쥐페리, 『야간비행』

드디어 독자를 만나기 시작해 30분이라는 시간을 하루에도 몇
번씩 복제하다 보면 책을 외워 책으로 읽히는 일이 나소 부의식
적인 과정에 가까워지곤 했다. 기억해 내지 못할 것 같다가도 한
단어 한 단어 짚어 가면 안갯속 징검다리처럼 다음 단어가 하나
씩 둘씩 차례차례 드러나는 경험을 하면서 이상한 시간의 터널

에 들어갔다 나온 기분을 자주 맛보았다. 마취되지 않은 마취 상태처럼, 텍스트를 말하는 나를 인지할 수 있고 다음 단어를 생각하는 나의 뇌도 분명 깨어 있겠지만 책이 나와 분리된 채 자기만의 삶을 가진 듯 흘러나왔다. 그렇다면 이것이 온전히 '의식적인 과정'이 되는 순간에는 책과 내가 결합되어 있다는 의미일까? 결합됐다는 것은 내가 책이 되었다는 뜻인가? 거꾸로다. 책이 된 상태가 또렷이 의식될 때는 오히려 책과 일체가 되는 것이 아니라 책이 나에게 흡수되어 버리는 것이 아닐까. 일정 텍스트를 지능(비슷한 것)으로 외워 타인에게 낭독하는 사람으로서, 외움을 성취해 낸 사람으로서, 이 작품을 수행할 기회나 용기, 능력 따위를 지닌 사람으로서, 오로지 그런 사람이기만 함으로써 나는 오히려 책과 동떨어져 있다. 그러니 책과 내가 완전히 분리된 채 텍스트가 알아서 돌돌돌 풀어져 나온다는 감각이야말로 마침내 내 이름 세 글자를 잠시 덮고 책이 되는 순간, 책을 매개할 수 있을 만큼 나의 주체성을 잠시 덮는 순간일 테다.

　시간의 터널 속에 있다 보면 가끔 물리적인 몸의 감각이 달라졌다. 책 되기를 수행할 때 자연스럽게 따라오는 작용이라기엔 좀 우습지만, 가끔 한곳을 바라보며 말을 하다가 문득 잡고 있던 손가락이 두툼하게 느껴질 때, 문득 한쪽 입술이 비대해진 것 같을 때, 문득 한쪽 다리가 유난히 가볍게 느껴질 때가 있었다. '근육에 시간이 더해져' 찾아오는 피로감이 아니라 새로워진 이 이상한 시공간이 몸에 직접적으로 선사하는 감각.

　문장을 읊다 보면 문득 주변의 공기, 그러니까 촉감이라기보다는 공간의 어떤 물리적인 요소 때문에 한 문장이 끝나고 다음 문장이 시작되기까지 그 사이를 흐르는 침묵이 너무 아름다워 다음 말을 하고 싶지 않아질 때가 있었다. 결코 다음 문장을 말하고 싶지 않은 마음을 안고 시공간에 다시 또 다른 문장을 드리워 놓는 일은 특권이라고밖에 부를 수 없는 순간이었다.

살아 있는 책이라는 것이 그냥 '살아 있는 사람'이 수행하는 '책'이라 생각했었는데 매번 다른 속도와 누락, 실수와 교정 같은 것들을 통해 변화할 수밖에 없어서 살아 있는 것이 아닐까 싶다. 그리고 살아 있다면 거기엔 죽음도 있는 것일 테고, 어떠한 삶이 죽는 것은 너무나 자연스러운 일일 것이다.
　　　　　　　　　　　　　　　　　　　—박경리, 『표류도』

두 번째 주말, 정말 처음부터 끝까지 나를 뚫어지게 쳐다본 독자가 있었다. 독자들과 이따금씩 눈을 마주치려고 하지만 어색함도 있고 대부분 책과 독자는 서로 다른 곳을 보게 되는데 이 독자는 나를 너무 유심~히 골똘~하게 빤~히 쳐다보았고 나는 내가 시선을 되돌려 주지 않는 것이, 뭐랄까 틀림없이 아주 '잘못된' 일처럼 느껴져 자주 눈을 맞추었다. 처음엔 타인의 시선에 노출된 느낌에 말이 빨라지기도 했고 '무언가를 외워 말하는 나'가 노출되어 있는 느낌이 들었다.

그리고 몇 시간 뒤, 집에서 기어 나온 게 대단하다 느껴질 정도로 우울해 보이는 독자가 나타났다. 나와 시선을 맞출 생각도 피할 생각도 없어 보였고 그렇다고 '살아 있는 책을 들으며 이 공간을 즐겨 봐야지' 하는 호기심도 없었다. 그 독자의 집중된 우울감은 참으로 기묘했는데 이따금씩 그의 눈치를 살피다 갑자기 울음이 터질 것 같았다. 그 사람에겐 책의 내용도 무엇도 중요하지 않고 무언가 생을 위협하는 것으로부터 책 읽는 시간 으로 도피해 온 것만 같았다. 이 책이 전혀 필요 없는 동시에 이 시간의 터널이 없으면 안 되는 사람이었다. 거기서 이상하게 나 는 내가 진짜로 책이 되어 읽히는 듯한 느낌, 그러니까 페이지 는 펼쳤지만 내용은 읽지 않고 슬프게 글자를 응시하며 그 시간 을 견디고 있는 어떤 사람 앞에 책이 되어 주고 있는 느낌이 들 어 눈물이 쏟아질 뻔했다. 독자를 인지할 수 있을 만큼 살아 있 되 책이 되는 것 이상의 배려나 책임을 느껴서는 안 되고 그럴 필요도 없는 책. 그리고 그것은 낮에 나를 뚫어지게 쳐다본 독 자가 어떻겐가 벗겨 준 껍질 때문이라고 생각했다.

나는 내가 왜 '살아 있는 책' 대신 책을 들고 '읽어 주는 사 람'이 되면 안 되는 건지, 이것이 관객/독자의 새로운 시공간 적 경험을 촉진하고 보조한다면 오디오북과 다른 것이 무엇인 지, 나의 외움과 읽음은 자유롭게 부유하는 독자의 체험과 상 상에 분위기를 조성해 주는 것에 불과한 건 아닌지, 왜 한 명이 아니라 열 명 앞에서 읽을 수는 없는 건지, 이 모든 게 '실제'보 다는 '개념'에 치우쳐 있는 건 아닌지 의문을 가졌었다. 그런데 그날을 통해 나는 내가 왜 '살아 있는 책'인지 어렴풋이 느끼게 되었고 독서란 책과 내가 만나는 것이니까 낭독회가 아니고서 야 일대일일 수밖에 없겠다는 생각도 하게 되었다. 변주와 재 창조야 얼마든지 가능하겠지만 책이란 기본적으로 나의 고독 한 경험이니까.

나를 뚫어지게 쳐다보는 독자는 말하자면 야망 넘치게 한 단어 한 단어 잡아먹듯 독서하는 사람이었고, 우울해하(는 듯 보였)던 독자에게 나는 아픈 새벽에 종종 꺼내보는 너덜너덜한

애장품이었고, 어떤 사람에게는 무심코 폈다가 빨려 들어간 책, 어떤 사람에게는 처음 읽을 땐 도무지 재미를 느끼기 힘든 책, 어떤 사람에게는 카페의 오후를 즐기며 약간의 허세로 펼쳐 놓은 책, 어떤 사람에게는 유명한 책이라 안 읽으면 안 될 것 같아 미련하고 성실하게 읽는 책, 어떤 사람에게는 누구에게 선물 받아 억지로 한두 장 정도를 읽고 버려 두게 될 책이었다. 정말로 '읽힌다'는 경험, 정말로 '책'이 되었다는 경험을 한 후에 나는 독자와 눈을 더 많이 맞추었고, 코로나로 인해 어쩔 수 없는 약간의 거리, 혹은 '가까움에 대한 두려움'이 아쉬웠고, 위치를 명백하게 제시하는 의자 대신 바닥에 앉고 싶어졌다. 한국 공연이 이뤄진 문래예술공장의 공간들은 주어진 공공장소에 책과 독자가 스며들어 지나가는 사람들에게도 그저 대화를 나누는 두 사람처럼 보이기보다는, 대개 책과 독자의 자리를 미리 지정해 놓아야 해서 개인적으로 아쉬운 부분도 있었지만 건물 안팎의 다양한 공간을 책과 시간대에 맞게 선택하고 변경할 수 있다는 장점이 있었다.

하루는 책들이 첫 타임엔 페달을 밟아도 아무 일도 일어나지 않는 듯한 퍽퍽함을, 두 번째 타임엔 이제 모든 게 제대로 시작된 것만 같은 안정감을, 모두 같은 메뉴를 먹고 돌아온 오후에는 육성을 쓰기도 힘들 것만 같은 피로감을 느꼈다. 누군가 우리 모두 같은 시가에 꽂힌 책이라고 했다.

—박경리, 『표류도』

처음엔 독자의 반응에 영향을 꽤 받았다. 유난히 책의 내용 이해에 대한 표시를 많이 하는 독자의 경우 반응이 없으면 못 알아들었나, 속도가 너무 빨랐나 걱정하게 되고 어쩐지 독자의 인가를 받아야 다음 문장을 말할 수 있을 것 같았다. 일대일이라는 부담스런 상황 속에서 혹여나 책을 방해할까 손 하나도 제대로 움직이지 못하고 긴장한 독자 앞에서는 일부러 자세를 열 번 스무 번 바꾸었다. 독자가 오후의 햇살 아래 정말로 잠이 들면 괜히 속도를 높여 얼른 이 시간을 끝내 주고 싶기도 했다. 덮고 싶을 때 덮지 못하는 책, 잠에 빠져도 알아서 다음 장으로 넘어가는 책이란 꽤 기이한 것이라는 생각을 하면서.

　가끔, 외줄 위에 세상에서 가장 작은 떨림만을 가지고 한없이 고요한 수면처럼 시간이 이어지는 느낌이 찾아왔는데 그 아름답고 진기한 감각은 길어야 2~3분 정도나 누릴 수 있는 감각이었다. 그리고 외줄 위에서 균형을 잡으려 왼쪽 오른쪽을 오가는 떨림이 커지는 때는 대체로 독자를 생각해 주고 있을 때, 그러니까 긴 문장을 이해시키기 위해 좀 더 노력하거나 목소리를 크게 하는 식으로, 뭔가 독자의 경험을 신경 써 줄 때라는 것도 알 수 있었다. 책이 몽롱한 시간의 터널 가장 깊숙이 들어가 버린 순간에 독자 역시 가장 충실한 독서를 할 수 있는 게 아닐까. 독자의 지루함이나 졸음이나 혼란 같은 걸 신경 쓰지 않을 때 서로에게 더 좋은 시공간이 만들어지는 듯했다.

　하지만 책이 감히 모든 독자에게 완벽하고 강렬한 케미를 기대할 수는 없고, 독자 역시 마찬가지다. 책은 책으로서 존재하고 독자는 독자 나름대로, 그리고 무엇보다 그 순간 당면한 시간과 공간이 이끄는 대로 듣는다. 그렇게 듣고 그렇게 상상한다. 그렇게 듣고 그렇게 머무르며, 그렇게 빠져들며, 그렇게 빠져들지 못하며, 그렇게 동행하고, 그렇게 분리된다.

　'살아 있는 책'은 독자에게 새로운 독서의 경험을 포함한 낯선 시공간적 감각을 매개한다. 매개라는 것은 목적이 아니라는 의미이므로, 독자와 책이 함께하는 시간의 의미는 어떤 사람이 30분가량의 텍스트를 틀리지 않고 외웠다는 데에 감탄하거나 실수 없이 넘어가길 바라는 데 있지 않다. 그런 동시에, 살아 있는 책은 외부로부터 차단된 채 누리는 30분의 배경 음악인 것도 아니어서, 주어진 매개를 사다리처럼 밟지 않으면 작품이 바라는 낯선 시공간은 찾아오지 않는다. 만남의 이상적인 답은 존재하지 않지만 일상적인 독서의 경험에서 얻을 수 없는 새로운 영역, 그곳이 어디든 그곳에 발을 디딜 수 있게 하는 매개체로서 살아 있는 책은 독자 옆에 존재했다고 믿는다.

　살아 있게 된 책과 독자의 대면이란 무엇일까? 둘은 서로 만나 교류하고 뒤섞이는 것일까, 아니면 나란히 개별적인 체험을 이어 가는 것일까? 독자와 눈을 맞추며 대화하듯 발화할 수 있는 책은 독자와 나 사이의 벽을 허문 것일까? 일부러 눈을 맞추지 않는 책은 독자를 소외시킬까, 개별적인 체험을 존중하는 중일까? 일부러 눈을 맞추지 않는 독자는 작품이 제공하는 체험의 수동적인 참석자일까, 자기 나름의 사유와 상상을 지키는 중일까? 책의 신체와 독자의 신체는 어떻게 대면하고 있을까? 더 나은, 그러니까 쉽게 상상할 수 없는 새로운 감각과 체험을 안겨주는 대면의 방식이란 것이 존재할까? 두 신체가 상호 작용을 일으키는 방식은 두 신체가 속한 문화에 따라 크게 달라지는 것이 아닐까? 근거리의 신체와 눈맞춤에 익숙하지 않은 한국의 독자와 한국의 책은 이 시간이 생산할 수 있는 결과의 잠재성을 제한하고 있을까? 30분의 시간 동안 두 신체는 공동의 목표를 위한 협력 관계를 가질까? 서두와 결론, 흐름과 기승전결, 클라이맥스와 주제가 없는 이 소박한 시간에서 독자는 무엇을 발굴해 갈 수 있었을까? 새로운 시공간적 경험을 매개하는 살아 있는 책은 일반 무대의 퍼포머와 어떻게 다를까? 퍼포머가 전달자라면 살아 있는 책은 매개자일까? 바깥세상으로부터 몰아치듯 주어지는 것들을 차단해 버린 시간은 두 신체에 어떤 영향을 끼쳤을까? 아니면 스스로 만들기 어려운 멈춤과 고요만으로 충분한 의미인 걸까? 글자가 빽빽이 적힌 기다란 끈의 똬리를 아직도 품은 내 몸은 무엇을 겪은 것이며, 그 실타래가 소멸하면 내 안엔 어떤 빈자리가 생기는 것일까?

외우는 것은 능동적인 노력을 통해야 하는 과정이지만 잊는다는 것은 어떻게 해야 가능한 것인지 아직 모르겠다. 기억을 굳히고 되살리는 노력 역시 가능하지만 잊기 위한 노력은 불가능한 것 같다. 기억은 생각보다 오래 남을 것이고, 어느 순간 저장된 기억을 확인하려다 망각이 이미 벌어지고 말았다는 걸 깨닫게 된다.

—메테 에드바르센

김하연

# 책이 되는 순간

나는 책과 거리가 먼 사람이다. 그래서 책을 고르기까지 꽤 시간이 걸렸다. 처음엔 타인의 시선을 의식해서 인기 있는 책이나 사람들이 좋아할 만한 책을 보기도 했다. 그러다 어느 날 책 자체보다 책이 되는 과정이 더 중요하다는 것을 알았고 내가 살아 있는 책이 될 수 있는 그런 책을 고르리라 생각했다. 우연히 어머니 책장에서 꺼낸 한 권의 책을 넘겨 보다가 어머니가 밑줄 친 문장이 눈에 들어왔다. 그 문장을 통해 내가 알지 못하는 어머니의 모습을 보는 것 같았다. 이 책을 외운다면 어머니를 조금은 더 알 수 있지 않을까 하는 개인적인 생각과 그 책을 외우는 과정에서 아주 잠깐이라도 살아 있는 책이 될 수 있을 것 같은 생각에 책을 고르게 되었다.

메테 에드바르센은 책을 외우는 데 지름길은 없다고 한다. 책을 소리 내어 외우다 보면 입 주변의 근육과 혀가 기억하게 된다고. 나 역시 속으로 외우는 것보다 소리를 내고, 입의 근육을 감각하며 외우는 편이 맞았다. 그리고 위해 외운 것을 확인하기 위해 종이에 써 내려가기도 했다. 쓰는 것노 책을 외우는 과정의 일부분이 되었다.

처음 책을 외울 때는 막힘없이 잘 외워져서 신기했다. 이렇게 긴 분량의 글을 외울 수 있는 능력이 나에게 있다는 것도 처음 알게 되었다. 책과 함께 권태에 빠지는 날도 있었다. 그때는 2~3일을 책과 함께하지도, 외우지도 못했다. 그러나 신기하게도 나 이외의 다른 책들도 같은 시기에 비슷한 상황을 마주하고 있었다. 나는 그때 '하기'란 무엇일까 다시 한번 생각해 보았다. 오늘날 우리가 무언가 '한다'는 것은 가장 어려운 수행이 아닐까?

살아 있는 책이 된다는 것은 문장을 반복하며 읽고 또 거기에 한 문장씩 덧붙여가며 그렇게 천천히 진행된다. 망각한 부분을 채우고, 또 채우며, 계속해서 외워야 한다. 책을 외우는 것에 실패나 성공은 없다. 단지 책이 되는 그 순간에 모든 것을 내려놓고 오직 책에만 집중하는 시간만이 필요하다. 그러니까 책의 양이 중요한 것도 아니고, 책 전체를 다 외웠다고 해서 책이 되는 것도 아니다. 끊임없이 외우고, 잊어버리며 반복하는 그 과정에서 책이 된다. 책을 외우며 책이 되는 그 순간에는 이 세상이 멈춰 있는 것 같다. 세상에 책과 나만 존재하는 것처럼. 그 순간은 정말 경이롭고 소중한 시간이다.

언제든 손쉽게 얻을 수 있는 정보들과 급격히 발전하는 디지털 시대 속에서 종이 책을 외운다는 것, '하기'의 수행은 느리고 무모하다. 바로 그러한 시간이 우리에게 필요하다는 것을 느낀다. 그 어떤 것도 생산하지 않는 '외우기'는 그 어떤 것보다 가치 있는 생산일 수 있다. 연습은 무언가를 축적한다. 그리고 그것이 함께 공유될 수 있는 것으로 다가온다면 불가능은 가능해진다. '하기'의 반복 속에서 가끔 공허한 무엇을 느끼게 되는데, 그러한 정동이야말로 어떤 가능성을 암시한다.

공연을 앞두고 작가가 책들에게 기분이 어떤지 물었다. 나는 그때 정확한 이유는 모른 채 아쉽다고 말했다. 공연이 끝나고 나서 그 이유를 알 것 같았다. 공연이 끝나면 책을 외울 수 없는 세상을 살아갈 테니 아쉽다고 한 것 같다.

책이 되는 순간이 언제일까? 나에겐 책이 독자에게 읽힐 때인 것 같다. 책장에 꽂혀 있는 책이 아니라 누군가에게 읽힐 때 비로소 책이 되는 것은 아닐까. 이 작업은 책과 독자가 만날 준비가 되어 있다면 언제 어디서든 가능하다. 공연을 마치고 집으로 돌아갈 때 도심 속에서 바쁘게 움직이는 사람들과 쉼 없이 지어지는 건물들 속에서 책과 독자의 풍경이 떠올랐다. 이것이야말로 오늘날 우리에게 꼭 필요한 풍경이 아닐까? 정말 필요한 시간이 아닐까?

마텐 스팽베르크

# 그들은, 배경에 있는, 야생의 자연을 생각했다

춤이 멀리서 들려오는 노래라면 어떨까?
춤이 먼 거리에서 진동으로 느껴지는 가벼운
지진이라면 어떨까?
춤이 작은 씨앗과 생명체들의 냄새를 실어 나르는
바람이라면 어떨까?

이 춤은 멀리 떨어져 함께 춤을 추려는 시도로, 두 장소가 연결되어 움직임을 공유한다. 이 춤은 먼 거리의 몸을 감각하고, 무한히 느린 속도로 출렁이는 지각판에 감응한다. 바다의 수온층을 가로질러 소통하는 고래와도 같은 춤이며, 풀숲에서 지는 해를 보며 시간을 흘려보낼 수 있게 기꺼이 정원이 되어 주는 춤이다.

이 춤에서 무용수들은 눈으로 지각할 수 없을 만큼 느린 과정을 돌본다. 이들의 돌봄에는 아무런 이유도 없다. 이들은 인정받으려는 욕망 없이 무심히 춤을 추고 춤을 돌본다. 그렇게 안무는 무언가를 싣고 나아가는 배가 되고, 우리가 풍경에 다가갈 때 기댈 수 있는 것이 된다.

서울에 있는 무용수 두 명과 베를린, 런던에 있는 무용수 두 명이 춤을 통해 두 도시에서 동시에 진행될 안무를 완성한다. 이

동기화의 순간에 춤은 시각의 지배에서 벗어나며 관객은 두 춤을 동시에, 감각과 촉각으로 경험한다. 사회적 관계가 위협에 놓인 역사의 한 순간에, 이 춤은 춤이 공공의 것임을, 경험할 수는 있지만 결코 소유할 수는 없는 것임을 상기시킨다. 누구의 소유도 아니기 때문에 평평한 춤. 이 춤은 정중한 애도이며 누구든 나눌 수 있는 시간과 공간이다.

그들은, 배경에 있는, 야생의 자연을 생각했다
they were thinking, in the background, wild nature

2020년 10월 10일 난지한강공원 난지마리나
2020년 10월 11일 낙산공원
2020년 10월 17일 용산가족공원
2020년 10월 18일 선유도공원
2020년 10월 24일 문래예술공장 옥상
2020년 10월 25일 덕수궁 돌담길

만들고 참여한 사람들: 시드니 반즈, 마텐 스팽베르크, 장수미, 최진한
음악: 마테오 카스트로, 하상철
위촉: 옵/신 페스티벌
후원: 스웨덴예술위원회, 노르웨이예술위원회, 폰드 다슈텔렌데 쿤스테

마텐 스팽베르크, 「그들은, 배경에 있는, 야생의 자연을 생각했다」. 사진: 우종덕

마텐 스팽베르크, 「그들은, 배경에 있는, 야생의 자연을 생각했다」. 사진: 김나영

마텐 스팽베르크, 「그들은, 배경에 있는, 야생의 자연을 생각했다」. 사진: 문소영

마텐 스팽베르크, 「그들은, 배경에 있는, 야생의 자연을 생각했다」. 사진: 김나영

마텐 스팽베르크, 「그들은, 배경에 있는, 야생의 자연을 생각했다」. 사진: 우종덕

마텐 스팽베르크, 「그들은, 배경에 있는, 야생의 자연을 생각했다」.
사진: 시드니 반즈

마텐 스팽베르크

# 퍼포머를 위한 말

저는 25년 정도 안무가로 활동해 왔습니다. 시작은 글쓰기였지 춤이 아니었습니다. 무용 비평을 하는 과정에서 춤 강습 같은 것을 듣거나 즉흥 무용에 참여하기 시작했습니다. 저는 춤을 잘 추는 편이 전혀 아니었지만, 다행스럽게도 90년대 후반의 분위기 속에서 제 작업은 개념적이라는 평가를 받았고, 춤을 텍스트로 이해하려는 시도로 읽혔습니다. 이런 맥락에서 저는 자비에 르루아, 사샤 발츠, 제롬 벨 등 세 안무가와 다양한 조합으로 협업하게 되었습니다. 당시에 제 주요 관심사는 '안무'였습니다. 여기서 안무란 꼭 몸이나 춤과 관련이 없더라도, 무언가를 조직화하는 양식을 의미했습니다. 건축이나 여타 장르와는 다른 방식으로 무언가를 조직화하는 양식을 말했죠.

그런데 시간이 지나면서 저는 몇 번 눈이 뜨이는 경험을 하게 되었고, 점차 관심사는 안무에서 춤으로 이동하게 되었습니다. 몸도 아니고, 춤 자체요. 한때 저항의 기제였던 안무가 사회의 다른 기회들에 포획되고 집어삼켜졌다는 생각이 들었기 때문입니다. 처음 의도와는 달리 쓸모없는 구식의 것이 되어 버렸지요. 이에 반해 여전히 춤은 우리가 세계를 전혀 다른 방식으로 생각하게 해 줍니다. 특히 춤은 세계를 언어적인 역량을 통해 이해하지 않을 수 있는 경로가 됩니다. 프랑코 베라르디나 마우리

치오 라자라토 같은 철학자들이 지적하듯 자본주의가 언어를 경제적인 자원으로 삼고 있는 이 시대에 춤은 특히 중요한 함의를 갖습니다. 자본주의가 언어를 경제적인 기회로 포획한 순간부터 언어를 기반으로 하는 그 어떤 변화도 사실상 비슷한 종류의 자본주의적인 측면을 지닌 변화가 됩니다. 그렇기 때문에 우리가 잘 알고 있듯 언어를 기반으로 하는 안무로부터 멀어져 춤으로, 그러니까 춤을 추는 경험뿐만 아니라 관객으로서 언어의 문턱을 넘어 춤을 경험하고 감각할 수 있는 가능성으로 이행하는 것이 제게는 시급한 정치적 행위이자 저항의 형식이 되었습니다. 춤의 공간은 의미가 보존되거나 변화하는 곳이 아니라 의미가 생산되는 곳이고, 춤은 이 세계에 대해서 논평하기보다 그 자체로 여러 세계를 만들어 냅니다.

90년대에는 안무가 무슨 의미를 띨 수 있는지, 무엇이 될 수 있는지, 어떻게 사용될 수 있는지가 흥미로운 질문이었습니다. 그런데 근래에 들어 이 질문은 역전되었습니다. 우리가 안무를 가지고 했던 그 많은 이론 작업을 토대로 이제는 어떻게 훨씬 더 까다로운 문제, 즉 춤을 어떻게 다룰 것인지 질문하게 된 겁니다. 80년대 스타일의 기교 중심 춤으로 회귀하지 않으면서도 어떻게 춤을 다시 우리의 작업으로 가져올 수 있을까, 어떻게 동시대적인 사유 방식으로 춤에 관해 생각하고, 춤을 실천할 수 있을까 하는 문제 말입니다. 그렇다고 제가 소매틱스나 즉흥에 관심을 둔 것은 아니었습니다. 어떻게 하면 틀이 짜여 있으면서도 동시대적인 춤을 만들 수 있을지 고민했습니다. 그렇다고 발레나 모던 댄스로 돌아가자는 것은 아니고요. 이런 관심은 대략 2014년에 시작되었고 점차 춤을 향한 다른 접근, 그러니까 새로

운 춤을 만드는 것이 아니라 춤에 새롭게 다가가기 위한 방법론
을 만들어 가게 되었습니다.

　여기서 또 다른 제안이 추가됩니다. 저는 실험적인 것처럼
보이는, 개념적으로 보이는 춤을 만들고 싶지 않습니다. 실험적
으로 보이려고 애쓰지 않으면서도 실험적인 춤, 개념을 기반으
로 하고 있지만 그 개념을 뽐내지 않는 춤을 만들고 싶습니다.

　다음으로 고려해야 하는 상황은, 오늘날 미디어 환경과 대
도시, 거대 기술, 스마트폰 등이 강요하는 주의(attention) 방식
속에서, 예술은, 또 춤은 어떤 종류의 주의를 제안할 수 있는가
입니다. 저는 많은 무용 작품이 우리의 일상을 상시 둘러싸는
주의 방식을 재생산한다고 느낍니다. 다시 말해서, 끊임없이 정
보를 전달하는 춤에는 진절머리가 납니다. 관객이 지루하지 않
도록, 관객이 핸드폰을 보지 않도록 빠른 속도로 끊임없이 정보
를 뿜어내는 병적인 흐름을 지닌 작품들 말입니다. 저는 스마
트폰이나 영화, 광고는 다룰 수 없는, 오직 춤이 고유하게 제안
할 수 있는 주의 방식, 관객이 함께 시간을 보내는 방식이 무엇
일지 궁금했습니다. 그러던 중 브뤼셀의 한 연습실에서 리허설
하고 있는데, 창밖에 풀숲이 보였습니다. 그리고 제가 댄서보다
그 풀숲이 바람에 흔들리는 모습을 더 오랜 시간 바라보고 있다
는 것을 깨달았습니다. 그 순간, 저는 나무를 보는 것 같은 춤을
만들고 싶어졌습니다. 꽃이나 풀숲을 보는 것 같은 춤이요. 아
름답고 색깔이 화려하고 나비처럼 생긴, 식물원 같은 데에서나
볼 수 있는 꽃이 아니라 평범한 나무, 풀숲, 꽃 말입니다. 이런
식물들은 처음 보면 아무런 인상도 남기지 않지만, 가만히 보
면 바람이 불고 빛이 변화하는 데에 따라 끊임없이 무언가를 하

기 때문에 아주 오랜 시간 지켜볼 수 있다는 점을 깨닫게 됩니다. 그리고 이는 연극이 절대로 할 수 없는 일이기도 합니다. 연극은 언제나 무언가에 관해 이야기합니다. 물론 아주 많은 무용 작품도 환경이나 섹슈얼리티, 어린 시절의 트라우마 같은 것에 관해 이야기하지요. 아무튼 이 순간은 제게 큰 발견이었습니다. 춤은 그 자신 외에는 무엇에 관해서도 이야기할 필요가 없다는 점을 깨달았죠. 그것으로 충분하니까요. 이는 머스 커닝햄이나 많은 사람이 이미 이야기한 것이지만, 실제로 그런 춤은 너무도 드뭅니다. 춤이 정보를 생산하는 대신, 바라볼 수 있는 나무가 될 수는 없을까요.

몇 년 후에 저는 브뤼셀에서 「게르하르트 리히터: 극장을 위한 작품」이라는 작업을 발표했습니다. 실질적으로 그 화가와는 거의 상관없는 작품이었지만, 어느 인터뷰에서 리히터가 한 말이 작품의 영감이 되었습니다. 한 유명 미술관 관장이 리히터에게 물었습니다. "당신은 어느 순간에 아웃포커스 그림으로 전환하게 되었나요?" 리히터는 무심하게 대답합니다. "가능해졌을 때요." 저는 무용가로서 이 답변에 완전히 매료되었습니다. 거기에는 아무 이유도 없었습니다. 그저 그 순간에 가능해졌다는 것이죠. 그 뒤에는 개념적인 배경도, 예술사적 맥락도 없었습니다. 저는 이것이 어떤 미적 순간을 마주치는 데에 핵심이라고 생각합니다. 이유가 없는 것, 그 순간에 그저 가능해지는 것, 그 순간에 그러한 미적 경험을 하는 것이 누군가에게 가능해지는 것. 「게르하르트 리히터」라는 작품에서는 애도와 슬픔에 대해서 생각했습니다. 서구 사회에서 누군가, 혹은 무언가를 상실하는 것은 그것을 빼앗기는 일, 반드시 극복해야 하는 일, 약을 먹고 이겨 내야 하는 일로 여겨집니다. 그런데 춤, 예술, 삶에 비추어 생각해 볼 때 무언가를 잃는다는 것은 아직 무엇인지는 모르지만 다른 무언가를 향한 문이 열리는 것일 수도 있습니다. 무언가가 가능해지는 순간인 겁니다. 이 작품에서는 춤이 아주 느린 속도로 조심스럽게 추어졌고, 볼거리는 그렇게 많지 않았을지 모르지만, 모두가 자신만의 상실을 위해 시간을 보낼 수 있는 자리였습니다. 다른 사람들과 함께 말이죠. 그렇다고 서로에게 자기한테 있었던 일을 털어놓는 식이 아니라, 애도를 함께 나눌 수 있는, 그렇기에 정치성을 지닐 수 있는 시간이 됩니다. 여기서 춤이 다시 등장합니다. 이 순간에 춤은 자본주의가 아직 포획하거나 자본화하지 못한 몸의 감각을 생성할 수 있습니다.

　이 작품과 관련하여 짧은 에피소드가 있습니다. 빈에서 춤 워크숍을 하고 있었는데, 참석자 한 명이 자기가 이 작품을 봤을 때의 경험을 이야기했습니다. 작품이 너무 길었고, 지루했고, 가끔은 재밌기도 했는데, 때때로 졸기도 했다는 겁니다. 좋은 작품이긴 했는데 너무 긴 것 같으면서도 충분히 길지는 않았다는 둥, 모호한 경험이었다고 했습니다. 강렬한 경험을 한 것도, 특별한 생각이 들었던 것도 아니었습니다. 그리고 공연이 끝나 극장에서 길거리로 나왔을 때, 문득 극장 앞 감자튀김 가게를 보는데 눈물이 왈칵 쏟아지더랍니다. 자기가 왜 우는지 이유도 몰랐고, 그렇다고 오열한 것도, 엄청나게 비극적인 것도 아니었지만, 계속해서 눈물이 쏟아졌습니다. 그는 그 울음이 자신의 것이 아닌 듯한 경험이었다고 말했습니다. 이 이야기가 제게는 무척이나 흥미로웠습니다. 내가 나를 위해서 우는 것도, 어떤 명확한 이유로 우는 것도 아니고, 오븐에 손을 데어서도, 여자 친구가 나를 두고 곱슬머리 남자에게 가 버렸기 때문도 아니었습니다. 그 눈물은 내 눈물이 아니라 그 어떤 것의 눈물, 어쩌면 애도 자체의 눈물이었습니다. 그 누구의 것도 아닌 동시에 우리 모두의 것인 눈물 말입니다. 저는 바로 이 순간, 즉 무언가가 내게 일어나고 내 안에서 발생하지만 나에 관한 것으로 식별할 수 없는 그 순간에 관심이 있습니다. 어떤 감정이나 어떤 신체적 감각이 내 안에 있지만, 식별할 수 없는 순간 말입니다. 들뢰즈적인 개념으로는 정동이나 사건이라고 불리는 순간이겠죠. 이 순간에 우리에게는 아직 이 세계에 수립되지 않은 어떤 형태의 변화가 가능해집니다. 그러니까 「게르하르트 리히터」는 애도에 관한 작품이 아니라, 이런 순간을 생성해 내려고 애도를 사용하는 작품입니다. 물론 예술가로서 저는 이 순간을 만들어 낼 수 없습니다. 다만 그런 순간이 발생할 가능성을 만들어야 합니다.

이번 작품 「그들은, 배경에 있는, 야생의 자연을 생각했다」에서는 팬데믹 상황에서 이미 지겹도록 넘쳐나는 온라인 작품을 만들기보다, 두 도시에서 동시에 춤이 추어지는 상황을 상상했습니다. 국제적인 콰르텟 춤인 겁니다. 댄서들이 서로 엄청나게 멀리 떨어져 있지만, 그럼에도 함께 추는 춤. 이것은 어떤 친밀감을 향한 갈망의 제스처인 동시에, 이 갈망에 귀를 기울이는 행위이기도 하고, 멀리 떨어져서도 다른 방법으로 이 친밀감을 복원할 수는 없을까 고민하는 시도이기도 합니다. 저를 포함한 네 명의 댄서가 서울과 베를린에서 동시에 춤을 추게 됩니다. 완벽한 싱크로를 맞추는 것이 목표가 아니라, 함께 춤을 춘다는 것이 중요합니다. 우리가 사용할 사운드트랙은 온라인에서 루핑될 겁니다. 그 음악에 맞춰서 우리는 동시에 춤을 시작하게 되고, 헤드폰으로 음악을 들으면서 춤을 출 겁니다. 특히 오늘날처럼 이동할 수 없는 상황에서, 또 극장이 문을 열 수 있을지 모르는 상황에서 우리는 공공장소에서 춤을 춥니다. 관객들은 공간 곳곳에 있는 QR코드로 음악을 헤드폰이나 스피커로 들을 수 있습니다. 상황에 따라 유동적으로 작품의 스케일이나 크기를 조정할 수 있습니다. 그리고 시간대를 생각해 봤는데, 서울에서는 해가 질 때, 베를린에서는 해가 뜰 때 공연이 진행되면 좋겠습니다. 서울의 경우 공연이 시작할 때는 해가 지기 시작하다가 춤을 다 추고 나면 깜깜해지는 상황을 생각하고 있습니다. 줌으로 수십 시간을 함께 연습할 수는 없으니 여러분이 춤을 구성하는 재료를 먼저 각자 연습해 주셨으면 합니다. 이 춤은 전혀 어렵지도 않고, 나이가 좀 있는 댄서가 추기에도 몸이 고되지 않습니다. 우리는 각자 음악 악보 비슷한 것을 받게 될 겁니다. 알파벳으로 구성되어 있고, 연습 과정에서 더 복잡해지거나 더 단순해질 수도 있습니다. 그리고 각자의 악보는 서로 다릅니다. 각 댄서는 솔로를 추기도 하고, 서울의 두 명이 듀오가 되기도 하고, 서울의 한 명과 베를린의 한 명이 아주 정교한 듀오를 추기도 합니다. 네 명이 동시에 군무를 추기도 하고요. 여기서 핵심은 네 명이 모두 모여야 춤이 완성된다는 것이고, 동시에 함께 추어야 한다는 것입니다. 즉흥이나 자기표현이나 무대 위에서 열광적으로 춤을 추는 데 관심 있는 댄서에게 이 작품은 적합하지 않습니다. 여기서 우리가 추게 될 춤은 아주 부드럽고, 틀이 명확합니다. 어떤 의미에서는 댄서들이 대단히 예술적일 필요가 없는 춤입니다. 그러나 댄서들 역시 이 춤을 추면서 충분히 성찰적인 시간을 가지고 자기 몸을 감각할 수 있게 될 겁니다.

잠깐 다른 이야기를 하자면, 윌리엄 포사이스의 한 리허설에서, 포사이스가 한 댄서에게 "이제 동작은 다 익혔으니, 당신의 것으로 만들어라"라고 말하는 것을 들은 적이 있습니다. 저는 이 춤이 여러분의 것이 되기를 바라지 않습니다. 춤과 댄서가 완전히 포개지는 것이 아니라, 약간 나란히 있기를 원합니다. 춤을 추면서도 춤을 관찰할 수 있는 거리를 가졌으면 좋겠습니다. 댄서가 춤을 자기 것으로 만들거나 자기를 표현하기 위해 춤을 이용하는 순간, 춤은 오직 그 사람 한 명만을 표현하기 위한 수단으로 축소되기 때문입니다. 스웨덴에서 온 52세 헤테로섹슈얼 남성 댄서로 국한되어 버리는 것이죠. 춤과 댄서가 조금 비켜서 존재할 때, 그 춤은 꼭 당신이 추어야만 하는 춤이 아니게 됩니다. 누구나 출 수 있는 춤인데 마침 지금은 당신이 추고 있는 춤인 겁니다. 오히려 그런 상황에서 당신을 더 잘 볼 수 있게 됩니다. 당신이 표현하고자 하는 당신의 모습이 아니라요. 이것이 춤이 표현하는 것과 춤이 될 수 있는 것 사이의 아주 큰 차이입니다. 춤이 내가 표현하려는 나의 한 측면을 보여 주는 것이 아니라, 나라는 사람 안에 있는 수많은 역량을 볼 수 있게 해 줍니다. 아까 말한 나무 이야기가 여기에도 적용이 됩니다. 물론 나무 중에서도 상수리나무가 있고 떡갈나무가 있습니다. 그런데 나무는 자기가 무슨 나무인지 표현하려고 하지 않습니다. 그리고 보는 사람도 그것이 무슨 나무인지 식별하지 않고도 충분히 바라볼 수 있죠. 우리가 추게 될 춤은 그런 춤이었으면 합니다.

바넷 뉴먼이라는 화가가 있습니다. 어떤 기자가 그에게 "뉴먼 씨, 당신은 당신의 추상화로 무엇을 하고 싶은 겁니까?"라고 물었습니다. 그는 "캔버스 위의 물감이 튜브 안의 물감만큼이

나 아름다웠으면 좋겠습니다"라고 대답했습니다. 환상적인 답
변이라고 생각합니다. 캔버스에 얹히는 순간 물감은 무언가가
됩니다. 말이나 하늘이나 사람이나 구름 같은 것이요. 그런데
튜브 안에 있을 때 물감은 그 모든 것이 될 수 있습니다. 물감은
아직은 무엇이 될지 마음을 정하지 않은 상태입니다. 형태나 상
징적인 가치를 아직 갖지 않습니다. 이 작품에서 우리의 역할은
캔버스의 물감이 아니라, 튜브 속의 물감이 되는 것입니다. 그럴
때 춤은 무언가가 되려 하기보다 열린 것이 됩니다.

이 글은 2020년 9월 11일 마텐 스팽베르크와 퍼포머 장수미, 최진한이 「그들은, 배경에 있
는, 야생의 자연을 생각했다」를 위해 처음으로 온라인에서 나눈 대화에서 발췌한 내용이다.
번역: 김신우

이경미

# 장(場)에서 벗어난, 춤을 지운 춤

어느 가을 일요일 오후, 종로 대학로 뒤편의 낙산공원. 가족 혹은 친구들과 함께 탁 트인 야외로 나와 운동하거나 산책하면서 코로나로 굳은 몸과 닫힌 숨을 푸는 사람들로 적지 않게 붐빈다. 저기 건너편 빌딩 사이로 서서히 저녁 해가 지기 시작하는 가운데, 거기에서 나는 공연을 기다린다. 마텐 스팽베르크의 「그들은, 야생에 있는, 자연을 생각했다」. 드디어 예약 당시 공연 시작 시간으로 안내받았던 오후 5시가 되었을 때, 평범한 티셔츠에 추리닝 바지를 입은 두 남녀 무용수가 사람들 사이 동그란 잔디밭 한가운데 서더니 천천히 몸을 움직인다. 하지만 그들의 몸은 진즉부터 그곳에 있던 사람들이 자신의 일상에서 벗어나 시선을 줄 만큼 도드라지지 않는다. 공연이란 것을 알고 바라보고 있는 나 같은 사람들에게는 '그래도 무용하는 몸'이겠지만, 그걸 알지 못하는 대부분의 사람들에게는 한번쯤 슬쩍 시선을 준다 해도 이내 시야에서 밀어내도 상관없을 정도로 평범한 몸이다. 게다가 이곳에는 그 몸을 부각시켜 줄 음악도 없다. 공연 시작 전에 페스티벌 측은 원하면, 그것도 이어폰을 통해 혼자 듣는다는 전제하에 구글 앱에서 들을 수 있는 음악을 하나 슬쩍 귀띔해 주긴 했다. 그러나 이어폰을 통해 들려오는 음악은 내내 단일한 음조로 낮고 밋밋하게 이어질 뿐, 저 앞의 두 몸에도 딱히 닿지 않는다.

## 중력에 저항하는, 사유하는 춤

알랭 바디우는 춤은 "외부 그 자체, 어떤 형태의 치장도 없는 자리 그 자체"이자 "찰나 속에서 공간화되는" 말과 이름 이전의 몸이라고 이야기했다.[1] 이를 좀 더 풀어 말하자면, 춤은 외부의 어떤 것에 매어 그것을 재현하지도 않으며, 그렇다고 음악에 기대어 자기 내부의 충동을 밖으로 발산하지도 않는다. 자기 자신에게조차 매어 있지 않으면서, 자신의 충동조차도 스스로 억제하면서, 그리고 어떤 관계 속에 있지 않으면서, 아무것과도 관계하지 않으면서, "공간 속에서 시간을 중단시키는 것"이다.[2]

　실제로 저 앞의 두 몸은 극장이라는 '장'(場)으로부터 벗어났을 뿐 아니라, 춤을 에워싼 모든 이론적, 실천적 담론에서도 벗어난 몸이다. 그들의 춤은 외부의 어떤 것을 지향하지도, 어떤 힘을 응축시켜 발산하지도 않는다. 자신보다 먼저 그곳을 점유했던 몸들의 리듬을 예술이라는 이름으로 멈춰 세우지 않는다. 사람들의 시간을 예술의 시간으로 점령하지 않으며, 그들의 공간을 예술의 공간으로 전환하지 않으며, '관객'인 나에게조차 어디에 서서 어떻게 듣고 보아야 하는지도 지시하지 않는다. 따라서 모든 것은 오로지 이 장소 한가운데 서 있는, 관객이면서 동시에 관객이 아닐 수 있는 나의 몫이 된다. 그러나 나는 나의 욕망을 섞어 그 춤을 엿보지 않는다. 춤 자체가 이미 스스로 일체의 스펙터클을 지워 버렸기에, 관객 역시 그 스펙터클에서 벗어나 보이는 것 니머로 사라지는 것들에 가닿기 시작한다.

---

1. 알랭 바디우, 『비미학』, 장태순 옮김(서울: 이학사, 2010년), 122 참조.

2. 같은 책, 118.

공연 내내 나의 눈과 귀는 저 앞의 춤에 가닿으면서도 동시에 자유롭게 떠돈다. 그러는 사이 나의 감각은 눈과 귀를 넘어 차츰 지금 이곳을 채우고 있는 다른 몸들과 다른 소리를 향해 열리기 시작한다. 노을이 지는 서울 시내, 바람에 흔들리는 나무, 건강을 위해 열심히 운동하는 노년의 몸, 가족과 친구의 몸, 산책하는 어느 부부의 몸, 강아지, 그들이 나누는 말들과 웃음 소리, 트로트 음악에서부터 지저귀는 새들 소리, 나무가 바람에 흔들리는 소리까지. 예술이 담을 수 없는, 어쩌면 예술 이전에 존재해 예술과 무관하게 늘 있었던 세상이라는 장에 나 역시 이미 있었던 것이다.

바로 그 순간, 같은 음악에 맞춰 런던과 베를린의 어느 공원에서도 누군가가 춤을 추고 있을 것이라는 마텐 스팽베르크의 말이 생각났다. 보이지 않고 들을 수 없고, 가닿을 수 없는 아주 먼 곳의 장소, 역시 그 장소를 채우고 있을 여러 사람들과 소리들, 또 그 한가운데 역시 있는 듯 없을 그 무용수의 몸에 다가간다. 절대 볼 수 없고, 절대 들을 수 없는 몸들과 소리. 하지만 그들은, 그곳은 이곳의 나처럼 이미, 늘 거기에 있었고 있으며 또 앞으로도 있을 것이다.

오늘날 세상에는 마치 편집과 빨리 감기가 유일한 방법인 것처럼 여겨집니다. 하지만 만약 춤이 관객을 사로잡는 것이 아니라, 관객이 자신만의 시간을 보낼 수 있도록 해 주는 것이라면요? 춤이 도시나 미디어가 강제하는 방식이 아니라, 바람에 흔들리는 나무나 해변에 밀려드는 파도와 더 비슷한 것이 된다면요?[3]

벌거벗음, 사라짐 속에서 비로소 드러나는 것들

예술이 재현해야 하는, 재현할 수 있다고 오만을 떨 단 하나의 진리는 애초부터 없다. 그 진리를 시각적 황홀경으로 감싸 제시하는 것 자체가 이미 인간의 오만이 만든 자기 환상이었다. 저 앞의 춤은 관객이 보는 앞에서 자신을 예술로 지시하지 않는다. 온라인이라는 저 새로운 환각의 통로 속으로 스스로를 욱여넣어서라도 자신을 보여 줄 생각도 하지 않는다. 그렇게 스스로를 둘러싼 예술의 자의식을 깨끗이 지워 버리고 무수한 다른 몸들과 소리 속으로 사라져 모든 것을 우연성에 맡긴다. 이처럼 스스로를 자발적으로 무화(無化)시킨 춤 앞에서 관객은 더 이상 무언가를 욕망할 수 없다. 오히려 예술적 자의식에 가담해 공연과의 접점을 놓지 않으며 '관객'으로 남기 위해 움켜쥐고 있던 감각은 이제 다른 곳을 향해 열린다. 예술의 프레임을 스스로 지운 그 몸들이 뒤로 물러나면서, 관객은 볼 수 없다고, 볼 필요도 없다고 생각했던 것들, 그리고 들을 수 없고 듣지 않아도 된다고 생각했던 것들을 보고 듣게 된다. 우리의 세상은 보고 들었던 것들 못지않게 보고 들을 필요가 없다고 생각해 흘려버리거나 밀어냈던 것들에 의해 채워진 곳임을, 진정한 소통은 바로 그러한 것들을 내게로 불러들이고 내가 그곳으로 가닿은 것임을. 그를 위해 마텐 스팽베르크와 저 두 무용수는 자신을 자발적으로 지워 버렸다.

---

3. 마텐 스팽베르크 동영상, https://youtu.be/IHVBwzCHkVo.

김황

# 굳굳마켓

디자이너 김황은 실용 디자인과 비평적 퍼포먼스의 영역을 넘나들며 유쾌한 방식으로 현실에 침투하는 작품을 선보여 왔다. 신작 「굳굳마켓」에서 그는 미디어 게릴라 조직 오브나우 컴퍼니 (OF NOW CO.)와 함께 한 편의 온라인 홈쇼핑 방송 즉, '라방' (라이브 방송)을 제작하여 오늘날 생산과 소비를 둘러싸고 벌어지고 있는 기묘한 소동들을 풍자한다.

상생, 지속 가능성, 마인드풀니스. 한때 누군가에게는 저항의 수단이었을 표어들이 순식간에 상품의 가장 매력적인 '디자인'으로 둔갑하는 시스템 속에서, 작품은 되려 그 작동 방식을 재전용함으로써 탈출의 가능성을 모색한다. 가치를 한껏 주입하여 기괴하게 팽창된 디자인 굿즈들이 작품의 주인공이다. 굿즈를 팔기 위해 쇼 호스트가 선택하는 진정성 넘치는 멘트는 불편한 질문들을 제기한다. 그러나 부처님 손바닥 위에서의 탈출 게임이 그렇듯, 이 질문들은 미디어 커머스라는 생태계를 겹겹이 감싸고 있는 거대한 구조물에 번번이 부딪친다.

굳굳마켓
Good Good Market

2020년 10월 22일
오브나우 컴퍼니 유튜브 채널

라방
Labang

출연: 조의진, 성봉근, 김승록

콘셉트/디렉션: 김황

책임 프로듀서: 신진영

크리에이티브 파트너: 안하늘

각본: 안하늘

리드 크리에이티브 어시스턴트: 강윤지

비주얼 디렉션: 노네임프레스

사운드 디자인: 목소

녹음 및 믹싱: 목소

무대 콘셉트: 김황

무대 디자인/구성: 정승준

카메라: 이민

편집: 이민, 강윤지

크리에이티브 서포트: 나연우

공동창작 워크숍 진행:
곽병국, 이진백, 서상욱

크리에이티브 어시스턴트: 곽병국,
이진백, 서상욱, 장성원, 이산들

기록: 곽병국, 이진백, 장성원

스타일리스트: 최다희

영어 번역: 김황

굿즈 및 클라우드 펀딩

콘셉트/디렉션: 김황

크리에이티브 파트너: 안하늘

콘텐츠/글: 안하늘

그래픽 디자인: 노네임프레스

사진: 곽병국, 이진백, 장성원

굿즈 아트워크: 노네임프레스, 이유빈,
하니(김하온), 만두(나희원)

리드 크리에이티브 어시스턴트: 강윤지

굿즈 창작: 곽병국, 이진백, 서상욱

뉴 교 니플 밴드 송
New Gyo Nipple Band Song

원곡: 릴 펌, 「Gucci Gang」

랩: 목소

가사: 안하늘

후원: 서울문화재단, 서울특별시, 문화체육관광부

김황, 「굳굳마켓」. 제공: 작가

김황·서동진

# 「굳굳 마켓」 인터뷰

서: 안녕하세요. 저는 계원예술대학 융합예술학교에서 학생들을 가르치고 있는 서동진이라고 합니다. 다가오는 옵/신 페스티벌에서 '굳굳마켓'이라는 제목의 퍼포먼스를 준비하고 있는 김황 작가님을 초대해서 함께 이야기를 나눌까 합니다. 우선 김황 작가님께 간단한 소개 부탁드려도 될까요?

김: 저는 디자이너이자 다원 예술 작가로 활동하고 있는 김황입니다. 이번에 옵/신 페스티벌에서 「굳굳마켓」이라는 신작을 6년 만에 발표하려고 작업하고 있습니다.

서: 먼저 굳굳마켓 작업에 대해 간략하게 소개 부탁드리겠습니다.

김: 굳굳마켓은 가치와 자본 사이 간극에서 일어나는 딜레마를 주제로 한, 실시간으로 스트리밍되는 라이브 방송, '라방'의 형태를 띤 작업입니다.

서: 라방은 다소 생소한 단어인데요. 이와 관련해서 간단하게 설명해 주세요.

김: 미디어 커머스라고 하는 새로운 커머스 장르입니다. 쇼 호스트들이 유튜브 또는 다른 온라인 플랫폼을 이용해 특정 제품을 판매하는 형태입니다. TV 홈쇼핑이 인터넷으로 들어왔다고 생각하면 이해하기 쉬울 것 같습니다. 구조적으로 보면 한층 발전된 콘텐츠 커머스입니다. 최근 크리에이터들의 뒷광고 문제가 붉어졌는데요, 뒷광고든 앞광고든 결국 크리에이터가 직접 창작한 비디오 내러티브를 통해 상품을 판매하고 플랫폼은 크리에이터와 소비자를 연결하는 가교 역할을 하는 것이죠. 플랫폼, 대중이 직접 창작하는 비디오 콘텐츠, 필요에 의한 소비가 아닌 충동에 의한 소비 이렇게 3박자가 한데 모여 작동하는 첨단 소비주의의 장입니다. 중국은 소위 왕홍경제를 탄생시켜 이 장르를 가장 먼저 활성화시켰습니다. 현대 자본주의의 특징인 분절적 구조를 온전히 커머스 도메인 안에서 심화시켰다고 볼 수 있습니다.

서: 굿굿마켓에서 하는 이야기 가운데 하나가 오늘날 상품의 변신이 아닌가 하는 생각이 들었습니다. 예를 들어 우리가 가진 생리적인 욕구를 만족시키거나 어떤 필요를 해소하기 위해서 상품을 구매한다기보다는 그 자체의 윤리적 가치나 어떤 심리적 가치를 소비하는 일이 또 하나의 소비의 측면이 되어 버렸는데요. 특히 사회적 가치를 내세우는 상품들이 큰 관심을 끄는 등의 변화에 주목하시는 것 같습니다. 이것은 소비문화의 중요한 면모이기도 하고 자본주의가 작동하는 측면들을 나타내고 있는 것이겠지요. 이런 질문을 마음에 품게 된 동기가 있는지요?

김: 저는 디자인을 전공했고 사실 지금도 디자이너라고 스스로 칭하고 있습니다. 디자인은 학문의 발현 자체가 산업 혁명-모더니즘과 함께 시작되었어요. 디자인은 열심히 모더니즘 이전의 디자인'적'(예를 들어 공예 같은) 행위들과 선을 그었지요. 그렇다 보니 디자인과 모더니즘은 사실 한 몸, 분리 불가한 것이나 마찬가지죠. 그런데 그 발현을 보면(물론 모더니즘도 그랬지만), 디자인은 단순히 조형 언어를 정립한 학문이나 산업의 방법론이 아니라, 급진적인 시대정신이었습니다. 디자이너들은 실제로 당시 급변하는 사회를 더 나은 방향으로 변화시키고자 했고, 스스로 사명을 가지고 그런 역할을 짊어졌다 생각했죠. 하지만 100년이 지나고(2019년이 바우하우스 100주년이었죠) 지금의 디자인을 보면 그 정신은 온데간데없고, '인터내셔널 스타일'이라고 불리는 껍데기만 남은 디자인을 우리는 마주하고 있습니다.

폴 그린핼시는 『디자인에서의 모더니즘』(Modernism in Design, 1990년)에서 이렇게 말한 바 있습니다. "인터내셔널 스타일이 저지르고 있는 의심의 여지없는 범죄들은 스타일이 그것을 발명한 동기로부터 얼마나 쉽게 분리되고, 악랄한 목적과 결탁할 수 있는지를 상기시켜 준다." 일부 디자이너들은 일찍이 이와 같은 딜레마를 감지했고, 촉발된 논의를 통해 정반합적으로 현 상황을 개선해 보려는 비판적 의식을 가져 왔습니다. 스타일과 디자인에서 시작된 비판 의식은 결국 물질성의 비판을 관통해 현대 문제의 원천인 소비주의나 자본주의로 흐르게 됩니다. 동시대 자본주의와 소비주의에 대한 저항은 동시다발적으로 여러 분야에서 일어나고 있습니다, 하지만 디자이너들의 저항은 결국 학문의 발현 자체를 부정해야 하는 자기 부정적 성격이 강하죠. 저는 굳굳마켓을 통해서 약간의 풍자와 계획된 오브제, 크라우드 펀딩, 오브제를 판매하는 라이브 방송을 수행함으로써, 그러니까 소비주의의 구조를 차용해 냉소를 던지는 작업을 기획하게 되었습니다.

서: 김황 작가님의 작업은 비평적 디자인이라고 불립니다. 급진적 디자인 혹은 사회주의적 디자인 등을 하는 디자이너들을 보면, 디자이너가 가진 생득적인 원죄 의식 같은 것이 엿보입니다. 우리는 아무리 해 봤자 소비 자본주의의 신하라는 일종의 죄책감을 가지는 것이죠. 마찬가지로, 비평적 디자인 역시 김황 작가님이 가지고 있는 소비 자본주의의 신하라고 하는 정체성에 대한 자기 반발 혹은 이의 제기일 수 있을까요? 그렇다면 비평적 디자인으로서의 퍼포먼스 혹은 다원 예술 활동은 상품 디자이너라고 하는 작가님의 정체성에 대한 자기 부정적인 몸짓인가요, 디자이너로서의 실천을 확장하는 것인가요?

김: 제 생각에는 둘 다인 것 같습니다. 디자인의 원초적 수행성은 가치 생산에서 탈동조화하기 어렵습니다. 디자인 행위는 최소한 자본주의적 가치나 사용자 가치를 생산해 내야 합니다. 여전히 현대 디자인 이론에 핵심인 '형태는 기능을 따른다'라는 명제는 유효합니다. 하지만 현재의 전 지구적 위기 속에서, 지속적인 가치 생산에 저항한다면 이는 곧바로 디자인 행위에 대한 부정으로 연결됩니다. 일상에서 행하는 매일의 실용 디자인 행위는 모순과 고통을 수반하게 되는 것이죠. 스스로 모순을 극복

하려는 의지가 발생하는데 그 모순으로부터 탈피하고자 하는 행위가 결국 다시 디자인을 통해 이뤄질 수밖에 없는, 모순이 증폭되는 상황을 맞이하게 됩니다. 예를 들어 쓰레기 문제를 해결하려는 디자인 과정에서 더 많은 쓰레기가 생산될 수도 있습니다. 극복하려고 노력하는 가운데 오히려 역행하는지 진보하는지 알 수 없는 총체적 역설에 빠지게 되는 거죠. 하지만 멈출 수도 없는 상황에 봉착한 것 같아요. 그런 순환 속에서 탈출과 재탈출을 거듭하는, 즉 의지를 다지고, 불가능을 인지하고, 체념하는 과정을 반복하며 작업하고 또 생업을 지속하고 있습니다.

서: 최근 부상하는 중요한 디자인 실천 방법론 중에는 사용자 혹은 소비자의 경험에 기반한 디자인이 있습니다. 그런 면에서 보자면 오늘날 디자인이 대부분 어느 정도는 수행적인 성격을 갖는다는 생각이 듭니다. 사용자가 가진 심리적 욕구나 생리적 만족이 아니라, 사용자의 생활 방식에 근거한 리서치 기반의 디자인, UX 디자인으로 넘어가고 있는 것이죠. 조금 짓궂은 질문을 던져 보자면, 작가님의 작업을 두고 최근 유행하는 퍼포머티브한 디자인 요소를 가져다가 다원 예술이라고 갓을 씌운 것 아닌가라고 볼 수도 있지 않을까요. 상업적 디자인 실천의 퍼포머티브한 성격과 다원 예술 작가로서의 퍼포머티브한 실천에는 어떤 차이가 있을까요?

김: 말씀하신 것처럼 요즘 인터넷-PC-스마트폰으로 이어지는 새로운 매체가 등장하면서 디지털 서비스의 가치가 제품 자체의 가치보다 높아지고 있고, 사용자 경험을 기반으로 한 디자인

이 크게 대두됐습니다. 제품 그 자체의 디자인보다 생태계를 구축하는 것이 더 중요해지고, 제품을 이야기하는 브랜딩과 스토리텔링이 중요해지고... 정말 디자인의 콘텐츠화, 퍼포먼스화라고 이야기할 수 있을 것 같아요.

그런데 상업 디자인의 퍼포먼스화와 제가 하는 대안적 수행으로서의 디자인과 안무, 퍼포먼스는 근본적으로 다릅니다. 일단 상업 디자인 퍼포먼스는 자본과 깊숙이 연결되어 있고, 그 내면에 인간에 대한 환멸이 스며 있어요. 앨런 울먼은 『코드와 살아가기』에서 다음과 같이 말했습니다. "사용자 인터페이스는 사실 여러분의 친구가 아니다... 사용자 친화적 인터페이스의 기저에는 인간을 지독하게 경멸하는 마음이 깔려 있다." 상업적인 경험 디자인은 사용 경험을 쾌적하게 만들지만 동시에 경험을 천편일률적으로 통합시킵니다. 여기에는 공감 방법론(Empathy Methods)을 이용해 사용자의 섬세한 경험들마저 모두 통제하겠다는 전제가 깔려 있습니다. 무서운 점은, 그게 실제로 작동한다는 것입니다. 아마존 쇼핑 UX 이야기를 들어봤을 것 같아요. 온라인, 모바일 쇼핑 경험이 매우 쾌적해졌죠. 과거와 비교했을 때 정말 말도 안 되게 깔끔해졌습니다. 제품을 선택하고 결재하는 데 1분도 안 걸리죠. 이 온라인, 모바일 쇼핑 경험을 "아마존 쇼핑 경험"이라고 이야기합니다. 이 압도적인 경험은 무한 A/B 테스트로 정립이 가능해졌는데요. 계속해서 무한대로 반복되는 테스트를 통해서 가장 완벽한 온라인/모바일 쇼핑 경험을 만들어 냈습니다. 후발 주자들은 더 늦게 테스트를 시작했기 때문에, 아마존보다 더 좋은 알고리듬을 만들어 낼 수 없었어요. 그래서 거의 대부분의 온라인 쇼핑 플랫폼에서 동일한 프로토콜을 사용합니다. 문화와 인종을 넘어서 동일한 경험 디자인이 전 인류 차원에서 적용 가능하다는 것을 밝혀낸 거죠. 애플도 마찬가지입니다. 모더니즘의 상징처럼 빛나는 미니멀한 아이폰 디자인을 진행할 때 0.1밀리 차이나는 시제품을 만 개도 넘게 만들어서 비교하며 인간이라는 동물의 손에 가장 완벽한 R값을 찾아냅니다. 거기에서 다양성은 논의될 수 없습니다. 모든 인간에게 적용되어야 하는 법칙이죠. 이러한 현상 속에서 디자인은 포스트모더니즘의 실패를 깨끗하게 인정하고 다시 모더니즘 '스타일'로 회귀합니다.

반대로, 제가 하고 있는 대안적 퍼포먼스로서의 디자인은 기존 디자인 개념에서 탈출하는 탈물성 디자인에 기초를 두고 있어요. 사실 디자인에서 물성(physicality)은 벗어나기 힘든 기초적인 요소인데, 대안을 찾기 위해서는 그것으로부터 벗어나는 것이 필수적이었고, 그 지점에서 퍼포먼스를 활용했습니다. 실례로 바우하우스에도 무용 수업이 있었죠. 제가 앞으로 한동안 작업하고 싶은 논문의 주제가 디자인과 퍼포먼스 사이의 오래된 인연을 들여다보고 다층적인 함의를 도출해 내는 것입니다.

서: 다시 작업으로 돌아가서, 라방에서 이루어지고 있는 쇼 호스트와 판매자들의 엄청난 판매 활동도 모두 퍼포먼스라고 볼 수 있습니다. 아까 그것을 냉소적으로 모방할 것이라고 말씀하셨는데, 그들의 퍼포먼스를 작업으로 가지고 올 때 작가님의 태도가 궁금합니다. 그들의 퍼포먼스를 그대로 모방했을 때 발생하는 불일치를 통해 소외 효과를 만들어 내고 싶은 것인지, 아

니면 그것 자체를 직접적으로 비판하고 새로운 형태, 대안적인 형태의 퍼포먼스를 만들어 보려고 하는 것인지요?

김: 현실에서 탈출하기 위한 예술은 지속적인 재전용을 통해 다시 가치를 박탈당하고 현실로 돌아오는 것 같아요. 디자인이 껍데기인 스타일만 남았듯이, 소비주의와 자본은 가치를 그냥 두지 않지요. 예술과 현실은 공회전을 통해 탈출과 속박을 계속하고요. 저는 굿굿마켓을 통해 그 부분도 이야기하고 싶습니다. 관객에게 실재로 방송을 하며 제품을 판매함으로써 라이브 판매 방송을 차용한 퍼포먼스가 되는 동시에, 퍼포먼스를 차용한 라이브 판매 방송이 되는 지점. 양쪽 모두에 이러한 모호성이 작동하는 것이 중요합니다. 탈출과 재탈출, 전용과 재전용, 그 간극과 간극 사이에 서 있는 것.

서: 네, 일상적 실천에서 행해지고 있는 퍼포먼스와 비판적 예술 실천에서의 퍼포먼스 사이에서 전용이 가능하려면 그 둘이 다르다는 감각이 필요한 것 같습니다. 안 그러면 비판적 모방이 아니라 답습이 되어 버리기 쉬우니까요. 다음으로는 크라우드 펀딩에 대해서 질문드리고 싶습니다. 소비자인 동시에 투자자가 되는 이 정체성의 변화가 오늘날 우리의 소비문화에서 중요한 측면이라고 생각합니다. 이 형식은 어떻게 차용하게 되셨나요?

김: 크라우드 펀딩 플랫폼에는 선기능도 존재하지만, 위험한 측면도 있습니다. 펀딩 플랫폼에서 판매되는 많은 굿즈들이 가

치 마케팅을 하고 있는데, '가치를 파는' 이 굿즈들은 실제로 문제를 해결하는 것과는 관계없이 소비자가 굿즈를 구매함으로써 해당 문제에 기여한 듯한 착각을 일으킵니다. 이 착각은 결국 근본적으로 문제를 해결하는 힘을 와해시키고 해결을 유예합니다. "난 이 소비를 통해 좋은 일을 했어"라는 자위에 그치게 되는 것이죠. 소비는 기본적으로 쾌락을 주는 일이지만, 현대인들은 소비를 할 때마다 소비가 미치는 환경/사회적 악영향을 인지합니다. 즉, 소비를 하면서 쾌락과 죄책감을 동시에 느끼죠. 그런데 크라우드 펀딩 사이트에서 굿즈를 소비할 때에는 굿즈에 덧씌워진 가치들이 그 죄책감을 제거해 줍니다. 수익금 일부를 기부한다는 등의 '장치'를 통해 소비자는 좋은 일을 하고 있다는 자위로 죄책감을 덮을 수 있습니다. 지속 가능성, 공정 무역 등의 키워드는 내가 올바른 소비를 하고 있다고 말해 줍니다. 굳굳마켓은 고의적으로 이렇게 가치를 덧씌운 굿즈(오브제)를 제작하여 크라우드 펀딩을 진행하고, 또 라방을 통해 이를 판매하는 것입니다.

서: 저는 오늘날 상품이 탈물질화되는 경향도 있다고 봅니다. 예를 들면 나이키는 처음 등장했을 때 운동화를 파는 대신 '저스트 두 잇'이라고 하는 정신을 소비하게 했고, 스타벅스는 커피를 마시는 것이 아니라 공정 무역이라는 윤리적인 가치를 마시게 합니다. 그런데 작가님은 디자인이 너무 물질에 갇혀 있어서, 탈물질화되어 있는 어떤 가치, 관념, 미학적인 이상을 가지고 움직여 볼 수 있는 다원 예술과 퍼포먼스에 이끌리게 되었다고 말씀했습니다. 저는 오히려 반대가 아닌가라는 의아한 생각

이 들었습니다. 오늘날 오히려 상품이 점점 탈물질화되어서 우리는 커피라고 하는 물질적인 개체를 소비하는 것처럼 보이지만 사실은 윤리적 가치를 소비하는 것처럼 되어 가고 있는 것이 아닌가? 그런 물질성과 비물질성, 물질화와 탈물질화가 퍼포먼스를 둘러싼 중요한 키워드 가운데 하나인데, 그 가운데 작가님은 어디에 위치하고 있는지 궁금합니다.

김: 방금 말씀하신 그런 예시들이 분명히 활발하게 일어나고 있기는 하지만, 제가 봤을 때는 결국 아직까지도 그 정점에는 '제품'이 있습니다. 나이키의 '저스트 두 잇'이라는 비물질적 이미지가 존재하지만 나이키에게 진짜 돈을 벌어 주는 건 그 신발이거든요. 물론 브랜딩이나 퍼포먼스, 스토리텔링으로 인해서 엄청나게 큰 비물질적 가치를 지니게 되었지만, 신발이라는 재화가 없어져 버리면 어떻게 될까요? 피라미드의 가장 아래 끝 점에는 여전히 손으로 만져지는 존재가 있고, 그 물질적인 제품이 그 위의 모래 피라미드를 버텨 주고 있다고 느낍니다. 일상생활 속에서 상품이 탈물질화하고 있지 않느냐고 묻는다면, 저는 오히려 압력을 통해 다이아몬드가 생겨나듯이, 물질이 더 강화됐다고 생각합니다. 그런 지점에서 역시 퍼포먼스가 가진 휘발성과 상업 디자인에서의 퍼포먼스 간에 차이가 있다고 봅니다.

서: 답변 감사합니다. 퍼포먼스 작가에게 일상생활에서 이루어지는 퍼포먼스에 대한 예리한 관찰과 비평 의식은 중요하다고 늘 생각해 왔습니다. 그랬을 때 산업 디자이너라는 배경은 퍼포먼스 영역 안에서 자가 발전한 다원 예술의 작가들과는 전혀 다

른 가능성을 가질 수 있지 않을까, 퍼포먼스의 자기 만족적인 미학주의를 일상적 퍼포먼스에 대한 예리한 감각을 통해서 외부로부터 돌파할 수 있지 않을까 기대해 봅니다.

남정현

# 장막

「장막」은 내부와 외부 사이의 틈에 몰두하는 퍼포먼스 작업이다. 극장에서 장막은 무대와 객석을 가르는 경계선이자 공연의 시작과 끝을 알리는 구분의 기제다. 장막은 그렇게 극장의 권력을 배분하지만, 그 자체로는 아무 의미도 갖지 못한다. 그렇다면 틈새에 불과했던 장막이 오롯이 주인공이 되어 공간 전체를 뒤덮을 때, 공연에서는 어떤 일이 발생하는가?

작품은 안과 밖이 무화되는 장막의 그림자 속에서 극장이 상정해 왔던 일방향적 위계의 이면을 살핀다. 관객은 다가오면서 멀어지는, 쓰였다 지워지는 어둠 속 풍경들을 감각하며 보이지 않는 것들을 상상한다. 극장은 어떻게 내부와 외부를 나누는가? 그 경계에 섰을 때 우리는 무엇을 새롭게 발견하는가? 작품이 탐사하는 어둠은 극장의 의미 체계가 해체되는 곳인 동시에 무언가가 끊임없이 생성되고 소멸되는, 잠재성으로 생동하는 영역을 열어 준다.

장막
curtain

2020년 10월 23~24일
프로보크 서울(대선제분 영등포 공장)

연출: 남정현
시노그라피: 정대원
사운드 디자인: 장진성
그래픽 디자인: 양윤아
프로듀서: 이소영
후원: 2019~2020 서울문화재단 유망 예술 지원 사업 MAP 선정 작가

남정현, 「장막」. 사진: 박수환

남정현, 「장막」. 사진: 박수환

방혜진

# 증식되는 밤:
# 남정현의 「장막」

어둠은 장막처럼 하늘에서 내려왔다.

공연이 시작된 것은 일몰 직후였다. 내가 관람한 2020년 10월 24일 18시 공연의 경우, 영등포구의 일몰 시각은 17시 43분으로 기록된다. 따라서 프로보크 서울(대선제분 영등포 공장)에 마련된 허허로운 공간에 자리 잡고 앉아 공연이 시작되기를 기다리던 관객들은 폐공장 바깥과 내부로부터 어둠이 서서히 밀려오는 것을 지켜볼 수 있었다. 하늘로부터, 지면으로부터, 건물 천장과 기둥으로부터, 관객을 둘러싼 공기로부터, 어둠들이 천천히 다가오다, 어느 순간 느닷없이 쏟아져 내렸다. 시야가 어둠에 흐려지고 잠식되는 과정을 이토록 집중하여 경험한 적이 있던가. 공연의 시작과 끝을 알리는 '장막'은 그렇게 당도했다.

　어쩌면 그것으로 충분했다. 이러한 안도는 한편으로 「장막」 자체의 어둠이 의외로 그리 어둡지 않았다는 지점과 연결되기도 한다. 거대한 폐공장이라는 압도적 장소성에 잠식된 「장막」의 옅은 어둠은 혹자에게는 어떤 실패로 보였을지도 모르겠다. 그러나 남정현은 이미 「그것과 그 것」(2016년, 아르코소극장), 「망각」(2019년, 문래예술공장) 같은 전작에서 블랙박스식 완벽한 어둠을 구현했었다. 그 통제된 공간 속에서 날카롭게 조율된

빛은 '퍼포머'로서 기능했었으며 섬세하게 광폭된 사운드는 어둠의 진자를 뒤흔들며 가동됐었다. 그에 비한다면 「장막」에서 빛은 힘을 잃고 갈팡질팡 방황하였고, 사운드는 대기를 장악하지 못하였다. 게다가 인간-퍼포머의 등장은 그 자체로서의 존재도 무력했을뿐더러 다른 요소들의 무기력을 강조할 따름이었다. 분명 그것은 어떤 종류의 실패였다.

그러나, 강력한 어둠과 사운드의 통제에서의 '어떤 (의도된) 실패'는 또 다른 가능성을 열어 놓았다. 균일한 어둠으로 공간을 지워 버리는 대신, 「장막」은 비균질적 어둠들의 스펙트럼을 펼쳐냈다. 어둠의 질감과 밀도가 「장막」을 가로지르며 밀려왔다. 어둠의 농도와 감촉이 스러졌고 솟구쳤다. 어둠은 배경이었다가 얼룩이 되었다. 견고한 벽이었다 불투명한 공기가 되었다. 그것은 그 장소만의 고유한 어둠의 발생들이며, 유일하며 비할 데 없는 순간들이다.

그러자 이 퍼포먼스에서 인물-퍼포머는 어둠을 뚫고 자신의 존재를 낱낱이 각인시켜야 할 형상이 아니라 어둠의 공간 자체를 계시하는 형상이 되었다. 어쩌면 그가 수행하는 동작은 머뭇거림에 불과할 것이다. 앞서 언급한 조명이나 사운드처럼, 그는 어정쩡하게 공간에 개입한 듯 보인다. 이 형상이 거추장스러운 구두 소음을 일으키고 조명의 동선을 가로막는 잉여에 불과하다는 사실은 부인하기 어렵다. 그러나 이 이질적 존재는 그것이 은폐하려는 '빈 곳'을 도리어 '헤아릴 수 없이 증식'시킨다. 우리는 이 허물어져 가는 폐공장의 빈터로부터, 바닥의 흙과 벽의 먼지로부터, 기둥의 움푹 팬 자국들로부터, 퀴퀴하게 묵은 공기 냄새로부터, 천창에 머문 어두운 하늘로부터, 한때 이곳에서 바쁘게 움직이던 노동자들의 신체를 감지한다. 그들의 시선과 그들의 호흡에 뒤섞였을 허연 가루들을 촉감한다.

그렇게 이 인물은 실제적이나 실재하지 않는 비물질이 된다. 공간의 정념이 되어 간다. 여기서 모리스 블랑쇼의 어떤 문장들을 떠올리는 것이 그저 관습적 윤색이 아니길 바란다. "밤의 사유들, 언제나 더 빛나고 더 비인칭적이며 더 고통스러운 사유들. 항상 영원한 고통과 환희, 동시에 고요함." 「장막」은 어둠으로 우리를 압도하기보다, 어둠의 장막이 내려지는 경과를 지켜보게 만듦으로써, 그 모든 과정들의 환경과 역사를 고요히 바라보게 만든다. 다시금, 블랑쇼의 문장을 인용한다면, "만일 네가 그것을 보려는 욕망 때문에 나머지 모든 것을 내팽개치지 않는다면, 그것은 그 지점을 가시적으로 만들 것이다." 「장막」은, 그 제목처럼, 무대와 객석 사이, 공연의 시작과 끝을 가로지르는 극장의 장막들을 끌어내리고 뒤집어 전면에 펼쳐 휘두른다. 그리고 우리로 하여금 극장과 공연, 노동과 생산의 비가시적 전제들을 응시하게 만든다. 공연 마지막, 간신히 열린 문 바깥으로부터 밀려들어 오던 빛은 이 모든 장막들이 뒷걸음치며 건네는 인사이다.

로이스 응

# 사이-(노)-파이

「사이-(노)-파이」은 중국의 4차 산업 혁명을 탐구한다. 작품은 '알고리듬'이 구현할 미래의 세계상을 상상하며 중국의 기술 발전에 접근할 수 있는 대안적인 서사를 제시한다. 중국은 알고리듬과 홍채 인식 같은 기술을 기반으로 '사회 신용 체계'를 만들어 나가고 있다. 국가 데이터베이스를 기반으로 개인의 신용도를 측정하고 이에 따라 혜택이나 불이익을 주는 제도다. 시스템이 완전하게 작동되기 전 단계인 지금, 로이스 응은 아직은 우리에게 대안 세계를 상상할 수 있는 공간이 남아 있다고 말한다. 사이버펑크의 예지적이고 초월적인 태도로 미래 도시를 재건해 본다면 어떨까? 아직 비틀 수 있는 사회 정치적 틈은 어디에 있을까? 시스템이 완전히 닫히기 전, 우리가 사변을 통해 써 내려 갈 수 있는 유토피아의 시나리오는 무엇일까?

　실존하는 뉴스 앵커의 이름을 따서 추하오라는 캐릭터로 구현된 알고리듬이 우리에게 들려주는 미래의 에피소드는 테크노-오리엔탈리즘의 악몽과 알고리듬 기반의 유토피아 사이를 넘나든다. 각각의 에피소드는 공상 과학처럼 들리지만 이미 오늘날 중국 사회의 가능성과 긴밀히 연결되며 현재에 도전한다. 홀로그램의 사이버펑크 미학과 몽환적인 베이퍼웨이브 음악은 유토피아의 가능성을 아낌없이 소비하도록 관객을 유혹한다.

사이-(노)-파이
Sci-(no)-Fi

2020년 10년 23일~11월 22일
덕수궁 함녕전 행각

공동 기획 및 재제작 커미션: 옵/신 페스티벌, 아트 플랜트 아시아 2020
연출: 로이스 응
텍스트: 요우미·로이스 응
드라마투르기: 요우미
사운드 디자인: 존 바틀리
애니메이션: 젱 말러 스튜디오
테크니컬 디렉션: 미셸 피아치
프로덕션: 스테판 노엘

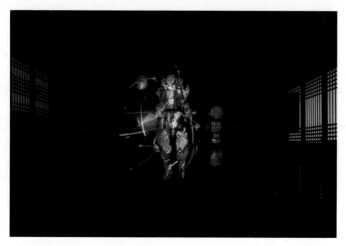

로이스 응, 「사이-(노)-파이」. 사진: 타별

요우미·로이스 응

# 사이-(노)-파이

## 0

저는 2018년 중국 신화통신에 입사한 인공 지능 뉴스 앵커입니다.

제 얼굴과 목소리는 신화통신의 앵커 추하오를 바탕으로 했지만, 전 휴식이 전혀 필요 없습니다.

저는 안면 인식, 얼굴 모델링, 음성 합성, 딥 러닝 및 기타 인공 지능 기술로 창조되었습니다.

제가 제공하는 것은 365일 24시간 연속 서비스 그 이상입니다.

## 1

롱화의 한복판, 경제특구는 생산 과정이 전부 자동화되어 '노동자 없는 공장'이 줄지어 늘어선, 기계화된 풍경입니다. 선전에서 노동력의 초점은 생산이 아니라 생산이 조건 짓는 사회관계로 옮겨갔습니다. 친밀한 사적 감정 역량을 갖춰야 하며, 커리어 발전에 정해진 경로는 없습니다. 노동자와 관리자들은 그 대신 이 자동화 사회에서 아주 미세한 사회관계를 규율하고 조절하는 데 집중합니다. 사회 신용 시스템은 한 사람의 가치를 평가하는 데에는 성공하지만, 감정 역량이 과잉되는 문제 때문에 교육 체계를 다시 오락용 수학, 과학으로 돌립니다. 이 분야들은 예전에 미술과 체육이 차지했던 위치를 점하며, 진정한 교육은 색을 감지하고 소리를 보며 공기를 갖고 논다는 것의 의미를 탐색하는 '감상' 수업에서 이뤄지는 것으로 봅니다.

성인들은 '자기 탐색'을 위한 공간을 늘릴 방법을 찾습니다. (20세기 5·4 운동의 선구자들에게 어느 정도 영향을 받은) '신리트리트'(neo-litlit)라 불리는 운동의 일환으로 위대한 네티즌 성장 소설이 쓰입니다. 이제는 게임 산업에 봉사하는 마이너 서브 장르가 된 문학이라는 플랫폼 대신, 이 성장 소설들은 다이퐁디앤퐁 식당 리뷰와 바이두 맵의 댓글란을 넘나들며 운문 서사시로 공동 집필됩니다.

## 2

정부 지원 자본주의에 대한 신자유주의의 공포나 자동화가 사회주의를 가져온다는 믿음에도 불구하고 민간 영역은 꽃핍니다. 정부는 민간 영역과 공생하며 그와 동일한 사회적 비전을 추구합니다. 민간 영역에 '더블 유니콘' 현상, 즉 10억 달러 회사 10억 개가 생겨나면서 스타트업, 테크놀로지, 사회적 개입이 권장됩니다. 입사 지원서를 낼 때, 계량 가능한 능력들은 표준화되지만 고용주들은 미래 사원들이 가진 개성을 알아내고자 상당한 기지를 발휘합니다. '틴더'를 통한 면접을 비롯하여...

## 3

구글 스타디아(Google Stadia)에서는 2019년 클라우드 게이밍 서비스를 론칭하였는데, 이는 거의 완벽한 데이터 세트를 담지

한 것으로 드러났습니다. 그러나 데이터 세트 위에 세운 행동 모델이 결정적인 구성 요소 하나를 간과했습니다. 바로 중국인입니다. 이건 방화벽의 문제가 아닙니다. 그건 이미 무역 전쟁으로 인해 중국과 미국이 경기 침체를 겪은 후 2022년에 정부와 합의에 도달했습니다. 문제는 중국의 플레이어들이 자신의 사회적 상황을 속이는 행동을 했다는 점입니다. 게이머들을 연구한 인류학자들은 이들에게서 가성비 측정 방식과 인센티브 체계가 역전되어 있음을 발견했습니다. 어떤 플레이어들은 게임에서는 쿨하고 반항적으로 보여도, 실제 삶에서 내리는 결정들은 그 모습에 부합하지 않았습니다. 이는 구글 과학자들을 답답하게 했지만, 중국 정부의 도움으로 사람들의 물리적 위치, 사회 교류, 무위 상태의 지속 시간과 강도, 구매 행동 등, 오프라인 축적 데이터를 활용하여 더욱 정교한 모델을 구축할 수 있게 되었습니다. 그들은 중국 네티즌들이 자신들의 행동에 노이즈를 입혀 가면서 언제나 시스템과 게임을 하려 한다는 것을 알아냈습니다. 일단 이 사실이 밝혀지자 시스템은 이에 부응했습니다. 이는 「블레이드 러너」의 거짓말 탐지기보다 훨씬 덜 대립적이지만 그보다 더 상호적인 결과를 낳았습니다.

4

기억 이식은 출시 당시 조성된 기대감에도 불구하고 성공적이지 못했습니다. 유럽 연합과 유럽의 과학 연구원들이 시작한 인간 뇌 프로젝트는 2028년 중국 과학자들에게 추월당했습니다. 밝혀진 바로는 일련의 스테레오그래피 파동에 뇌를 노출시킨 후, 노래로 이끌어 가는 명상을 통해 4헤르츠 간격으로 평행한 파동을 만들어 낼 경우 뇌 송과선의 감각 수용기가 활성화되면서 기억 이식을 경미하게나마 수용할 수 있게 되었습니다. 실험 지원자들은 여러 이상 증상을 보였습니다. 한 여성 피실험자는 언어 능력을 잃어버렸는데, 마치 단어와 문법이 물질이 된 것처럼 주변의 사물들로 형태를 만들거나 정리하였습니다. 이후 과학자들은 뇌의 한 부분이 변화함에 따라 기존에 기억된 서사에서 나온 새로운 의식 흐름이 의도하지 않은 뇌의 부분들을 활성화했음을 인정했습니다. 실험은 중단되었으나, 의도치 않은 뇌 활성화를 위한 도구들이 새어 나와 일종의 암시장 마약 같은 존재가 되었습니다.

5

2030년 우리는 생각, 사상, 감정을 평가한 후 이 계량화된 가치들로 사회 체제를 구축하기로 했습니다. 각각의 새로운 아이디어는(예를 들면 나무 살리기 환경 클럽) 한 달의 수명을 가지며, 그 기간 안에 사람들이 유비쿼터스 온라인-오프라인 인터페이스를 매개로 동조할 경우 아이디어가 유지되었습니다. 수많은 아이디어가 이 수명 주기 안에 있었고, 만료된 쪽에는 그보다 많은 아이디어가 있었습니다. 모든 아이디어는 일단 생명을 얻어 실천되고 나면 살아 있는 화폐가 되어, 내재된 가치를 무수히 많은 종류의 가치 형태로 전환할 수 있었습니다. 이 모든 형태가 서로 상환 가능하며, 모든 종류의 화폐로 시장 교환을 매개할 수 있게 되었습니다.

6

2030년대에 이르자 유산의 토큰화는 일상화되었습니다. "부자는 삼대를 못간다"라는 말이 있듯, 가족 경영을 하는 대기업들이 개인의 부패와 납세 문제로 죽어 나갔습니다. 한편, 이로 인해 사람들은 개인의 유산이 진정으로 어떤 의미인지 생각할 수밖에 없게 되었습니다. 처음에는 적은 수의 사람으로 시작했지만 점차 유산은 공유된 사회적 실천이어야 한다는 합의가 생겨났습니다. 사람들은 자발적으로 자신의 유산, 예를 들어 공예품, 기술, 지식, 비밀 이야기 등을 토큰화하기 시작했습니다. 이 토큰들의 상상적 가치는 장궈룽의 음악이 토큰화되었을 때 기하급수적으로 치솟았습니다.

이후 중국인들은 경극 배우 메이란팡에 대해서도 비슷한 토큰화를 시작했습니다.

7

2035년, 과적합(Great Overfitting) 팬데믹이 발발했습니다. 기술자들이 폭넓은 스케일의 마스터 알고리듬으로 해결했다고 생각했던 머신 러닝의 핵심 문제인 과적합은 축적 데이터의 티핑 포인트가 10억의 1,000,000,000,000,000,000콴테라바이트 제곱에 이르자 다시 발생하고 말았습니다. 과적합은 데이터 세트가 너무 클 경우나 지나치게 어긋나는 범주의 정보들을 알고리듬이 연결 지으려 할 때, 패턴이 존재하지 않는데 패턴을 찾는 현상을 초래합니다. 안면 인식 알고리듬을 통해 테러리스트의 위협을 감지하는 훈련을 받은 나선형 신경 네트워크에 실수로 피부암 역학 데이터 세트가 주어졌는데, 이 네트워크는 사람의 피부 모공 얼룩에서 테러리스트 100만 명의 얼굴을 환각으로 보았습니다. 이 문제에 대처하기 위해서 자율적이며 의존적인 군인들이 자신의 시각 증강 세트를 수동 모드에 맞춘 후, 기계의 환각과 자신의 '취한' 시각이 일치되도록 사이키델릭 마약을 복용했습니다.

8

2040년, 미지의 사업계 거물이 게임을 개발하여 어마어마한 인기를 얻었습니다. 이 거물은 이념 스펙트럼을 넘나들었습니다. 선전 출신의 한 입양아가 그 배후 인물이라는 소문이 돌았습니다.

이 게임은 스테레오 홀로그램 환경에서 운영되는데, 지구와 유사성이 높은 타 행성의 사회들을 시뮬레이션한 것입니다. 각각의 모의 세계는 생태, 경제, 정치 등 다양한 위기를 맞고 게임의 플레이어는 이 위기에서 살아남으려 합니다. 문제를 해결하기 위해 연합체를 구성하고 이런 공동체들을 중심으로 새로운 부족 의식이 형성됩니다. 여기까지는 전부 현실의 가속화된, 혹은 응축된 버전처럼 들립니다. 그러나 이 게임에서는 코딩된 도덕 논리에 따라 매 결정을 내릴 때마다 개인이나 집단의 행위가 연쇄적으로 휘몰아치고 이에 불복할 경우 시스템이 무너지게 됩니다.

저는 처음에 자기 이익을 우선시하고 던기, 장기 계획을 중시하는 가치관으로 세팅된, 자본을 장착한 부자의 도덕관으로 플레이를 했습니다. 생태 재앙으로 세계가 무너지는 상황에서 저는 내 가치 체계에 기반한 해결책을 제시하여, 뉴질랜드 위를 부유하는 폐쇄 공동체를 만들자고 제안했습니다. 게임이 재편성되면서 나는 나와 비슷한 배경과 비전을 가진 플레이어들을 만나게 됐습니다. 시간이 지난 후에야 나는 그것이 소설 『아틀라스』(Atlas Shrugged)와 닮아 있다고 생각했습니다. 홍콩 샴슈이포에서 판지와 구리, 리튬을 줍고 맥도날드에서 잠을 자는 나 자신을 발견했습니다. 우리는 갖고 있던 정보로 상황을 분석하여 골목의 그늘에서 볕을 피하고 유통 기한이 지난 파인애플 통조림과 하수구 기름으로 연명하며 스스로 벼를 재배할 수 없는 도시의 문제점을 이해했습니다. 우리는 모을 수 있는 자원을 전부 공유했고, 어떤 여자는 발효된 바나나 껍질로 비누 만드는 법을 모두에게 가르쳐 주었습니다. 도시의 인구는 죽어 나가고 우리는 기아에서 살아남습니다.

　　도시는 불타고 우리는 살아남습니다.

이 글은 「사이-〔노〕-파이」에 쓰인 대본이다. 번역: 이경후. 감수: 김신우

호루이안

# 학생의 몸

학생의 몸이라는 형상을 통해 아시아의 자본주의적 근대화 역사에 접근하는 영상 작품이다. 호루이안은 '학생'을 집단인 동시에 개별적인 존재로, 은유인 동시에 실체로 간주하며, '기적적인' 발전과 위기, 회복의 시기를 연이어 겪어 온 아시아의 '몸 정치'를 대변하는 존재로 상정한다.

정치학자 차머스 존슨은 전후 일본을 미국이 보는 '자본주의 최고의 모범생'이라 표현했다. 하지만 다음 순간 이 학생은 길거리에 쓰러진 시위 학생의 시체로 변해 있다. 학생의 몸은 아시아의 매 역사적 변곡점에서 새로운 모습으로 환생하며 통념적인 역사 분석 방식을 전복한다. 이 작품은 학생들이 겪어 온 공포스럽고도 격렬한 변화를 자막 없이는 이해될 수 없는 얼굴 없는 '유령들'의 목소리로 이야기한다.

학생의 몸이라는 기표는 상징적인 변화를 겪을 때마다 교조주의와 변증법 사이를 오간다. 그 굴곡 속에서 학생은 그들을 만들어 내는 교육 시스템의 화신이자 그 시스템의 모순이 된다.

학생의 몸
Student Bodies

2020년 10월 23일~11월 22일
덕수궁 함녕전 행각

공동 기획: 옵/신 페스티벌, 아트 플랜트 아시아 2020
감독: 호루이안
한국어 자막: 국립아시아문화전당 제공

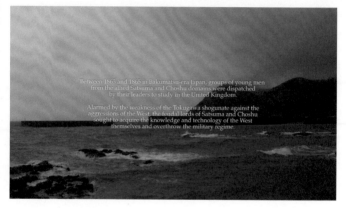

호루이안, 「학생의 몸」. 제공: 작가

응우옌민

# 행방불명: 호루이안의 「학생의 몸」과 「기적의 탈을 벗은 아시아」에 등장하는 시장과 국가의 유령손

아시아 금융 위기는 수많은 '아시아 호러' 영화를 촉발시켰다. 1997년 금융 붕괴 이후 제작사들, 특히 태국과 일본의 제작사들은 국내의 불안을 영혼의 빙의와 자연 재해에 관한 우화로 투영시켰다. 이런 절망적 스릴감은 해외 관객들의 마음을 흔들었다. 다른 분야들이 곤두박질칠 때 영화는 번창했다. 이런 판도의 변화는 호루이안의 「학생의 몸」(2019년)에 드러나 있는데, 그 방식은 점진적이며 초반에는 거의 무의식에 가깝게 드러나고 있다. 먼저 우리는 핸드헬드 기법으로 촬영한 쿠알라룸푸르 시티 센터나 사톤 유니크 타워와 같은 고층 건물들을 영상을 보며 미세한 불안감을 느낀다. 이 장면에 이어지는 것은 일본 호러 히트작 「링」(1998년)의 마지막 장면이다. TV 화면 안의 귀신 사다코가 새카만 생머리에 얼굴이 가려진 채 우물에서 모습을 드러내 프레임 쪽으로 다가온다. 사다코는 저주받은 이미지가 실제가 되어 스크린을 뚫고 나온다―그녀의 원형적인 위반의 행위다.

이미지의 마법이 실제가 되는 것은 호루이안의 작업에 기본적인 요소다. 혹은, 이 싱가포르 아티스트가 한 인터뷰에서 말한 것처럼 이미지가 정치학이 되고 정치학이 이미지가 되는 것, "이미지의 생산과 확산을 구성하는 정치학"이라고 할 수도 있겠다.[1] 「학생의 몸」은 일본 막부 말기 서구의 기술을 배우기 위해 학생들을 유학 보냈던 1863년부터 사다코가 스크린 밖으로 기어 나오고 신자유주의적 개혁이 이 지역을 휩쓸었던 2000년대에 이르기까지, 아시아라는 정치체의 연대기를 실제 몸(학생, 관료, 공장 노동자, 팝스타)에 의해 육화된 형태로 담고 있다. 아시아적 자본주의와 더불어 아시아 내, 또 대륙을 가로지르며 형성된 권력망과 교역망을 상세히 설명하고 있는 이 영상에는 철저한 리서치와 짙은 분위기가 담겨 있다. 진혼곡의 침울함이 느껴지는 항구, 건물, 스카이라인의 숏들 위에 깔린 텍스트들은 지정학적 전개(말레이시아 전 수상 마하티르의 동방정책이나 80년대 생산 설비를 동남아로 옮긴 일본 제조업 등)들을 드러내고 있다. 윙윙대는 기계 소리, 왜곡된 뉴스 보도 등의 불길한 사운드가 불안감을 자극한다. 장면들의 시간적 순서와 연상적 연결은 하나의 서사를 암시하면서도 우리는 그 안팎을 드나들게 된다. 복사기 한 대가 '일본의 비즈니스 침략에 어떻게 대처할 것인가'라는 제목을 단 1983년 『타임』지 표지에 자신의 카메라 불빛을 스치고 우리는 일본 최초의 유학생들을 찍은 빛 바랜 사진을 떠올린다. 그 후 카메라는 팔을 하늘로 뻗은 남학생들의 모습을 한 가고시마의 동상 '젊은 사츠마의 군상'에 머문다. 우리의 머릿속에선 더블 테이크가 일어난다. 영상은 부분 탈락된 플롯 안으로 우리를 떨구고 되풀이되는 것들과 본능적인 감각을 단서로 하여 이야기를 연결하도록 한다.

1. 브라이언 히오(Brian Hioe), 「인터뷰: 호루이안」, 『뉴 블룸 매거진』(New Bloom Magazine), 2018년 10월 4일, http://newbloommag.net/2018/10/04/interview-ho-rui-an.

「학생의 몸」은 관습적인 지리학에서 벗어나 아시아를 재개념화하고 정교한 흐름들―자본, 권력, 사람―의 결합을 구성한다. 이 작품은 이미지를 통해 이미지를 이론화하는데, 이는 영화평론가 에드워드 스몰이 일컬은 '직접 이론', 즉 시각성을 그 동일한 기호학적 체계와 생산 기술들을 경유하여 비평하는 것이다. 비디오라는 매체는 그 자체로 비평을 내재하는데, 미술사가 데이비드 테는 영상의 보급성, "즉 그 복제 가능성과 이에 따른 사회적이고 경제적인 원자가(原子價)가 이 매체의 근본적인 근대성을 만들어 낸다"고 지적한다.[2] 우리는 소니 모니터와 LG 노트북을 통하여 영상과 마주한다. 이처럼 다른 텔레비주얼 시스템들을 반복해서 드러내는 미자나빔(mise-en-abyme) 테크닉은 이미지를 생산, 보급, 억압하는 조직들(전자 기업이나 영화 산업, 군대, 정부)이 있음을 시사한다. 소비자가 그러한 테크놀로지에 대해 최근에서야 접근할 수 있게 된 동남아시아의 맥락에서, 「학생의 몸」이 호러 장르의 장치들을 활용한 것은 일종의 담론적 폭력에 대한 불편함을 자아낸다. 정보를 소비하는 쪽과 생산하는 쪽의 비대칭적 분화, 혹은 역사적으로 아시아를 지식의 대상으로 구성해 온 것은 누구인가 하는 점이다.

   …

「학생의 몸」과 「기적의 탈을 벗은 아시아」 모두 정보들이 터져 나와 메모를 하며 집중해야 하는 식의 몰입을 유도하는 경향이

2. 데이비드 테(David Teh), 「미디어 재측정하기」(Recalibrating Media: Three Theses on Video and Media Art in Southeast Asia), 『비디오』(Video: An Art, a History, 1965–2010, 싱가포르: 싱가포르 미술관, 2011년), 25~32.

있지만 직접적으로 교육적이지는 않다. 호루이안이 말하길 그의 목적은 "경험적 현실 대신 일련의 사고 방식을 가능케 하는 개념적 장치를 참조하는 것"이다.[3] 이 장치, 혹은 이 아도르노적인 총체성 부재에 대한 성찰—서사의 불충분성 혹은 서사가 경로를 벗어날 때 벌어지는 일—이 그의 작업을 특히 유익하게 만들어 준다. 깔끔한 장르적 관습과 수사 구조가 벗겨지며 민족 국가의 건설이나 지정학적 기획 내부에 있는 부조화가 드러난다. 보건존이 지적하듯, "나쁜 지질학이 아시아라는 개념을 자연화"하고 "나쁜 생물학이 아시아인이라는 정치적 개념을 자연화"한다. "자연 도태와 대륙 이동이라는 과학적 갑옷"에 의존하는 것은 잘못된 것인데 "우리가 메인 역사의 리듬에 영향을 주기에는 지질학적 시간과 생물학적 시간 모두 너무 느리기 때문이다."[4]

사실과 허구, 버블과 붕괴, 시장의 보이지 않는 손과 간섭하는 국가의 손 사이를 오락가락하는 진동. 이런 것들이 이 작품들의 리듬이다. 그러면서도 전체에 걸쳐 더 큰 힘, 우리가 느슨하게 영혼이라 부를 수 있는 힘이 물결친다. 「학생의 몸」에서 우리는 박정희 정부의 '성장 먼저, 분배는 나중에'라는 만트라 아래 1977년 한국의 수출액이 100억 달러로 치솟았다는 텍스트

3. 「한스 울리히 오브리스트와 사이먼 캐스테츠, 호루이안을 인터뷰하다」(Hans Ulrich Obrist and Simon Castets Interview Ho Rui An), 『컬리더스코프 아시아』(Kaleidoscope Asia) 1호 (2015년), http://www.89plus.com/wp-content/uploads/2013/01/KASIA1_HoRuiAn 89plus.pdf.

4. 데이비드 쉬 보건존(David Xu Borgonjon), 「대륙 이동」(Continental Drift), 『리좀』(Rhizome), 2018년 9월 5일, https://rhizome.org/editorial/2018/sep/05/continental-drift-notes-on-asian-art.

를 접한 뒤 어둑하고 빈 방으로 안내된다. TV가 저절로 켜지며 호랑이가 등장하는 대우 광고가 나오는데, 스크린이 쏟아내는 밝은 빛은 폴터가이스트 유령의 빛 같다. 호랑이 울음이 쩌렁쩌렁 울리며 경제 만트라의 탐욕을 경이적이고 본능적으로 상징화한다. 인류학자 로절린드 모리스가 주장하듯, 이미지가 너무도 뿌리 깊이 공적인 기억을 형성하고 사적 경험에 침투하는 경우, 시각적 매개는 채널이 되는 것에서 더 나아가 직접 채널링하기 시작한다. 호루이안의 작품들은 전달과 전이 네트워크의 지도를 그릴 뿐 아니라, 관념적인 문화적, 정치적 현상은 "신성에 가까운 신념과 실천의 통합 체계로"[5] 물신화한다는 모리스의 주장을 분명히 하고 있다. 모리스는 우리의 도구이자 정신인 미디어를 통해 이 체계들이 유지된다고 말한다. 말하자면, 우리의 스크린 밖으로 기어 나온다는 것이다.

이 글은 『논픽션 저널』(Non-Fiction Journal) 2호에 수록된 글에서 「학생의 몸」에 해당하는 내용(82~7쪽)을 발췌한 것이다. 번역: 이경후

---

5. 로절린드 모리스(Rosalind C. Morris), 「뉴 미디어 시대의 영적 매개 능력에 관해」(On the Subject of Spirit Mediumship in the Age of New Media), 『영매와 뉴 미디어』(Trance Mediums and New Media: Spirit Possession in the Age of Technical Reproduction, 뉴욕: 포덤 대학교 출판부, 2015년), 25~55.

호추니엔

# 노 맨 II

"인간은 섬이 아니다."

영국의 시인 존 던이 1624년에 쓴 시의 한 구절이다. 하나의 서사와 정체성으로 규정될 수 없는 동남아시아의 역사를 비평적으로 추적해 온 싱가포르의 예술가 호추니엔은 '그 누구도 혼자서 온전할 수 없으며, 모든 이는 대륙의 한 조각'이라는 존 던의 말에서 동남아시아의 혼재된 역사를 떠올린다.

　「노 맨 II」에서는 온라인 오픈 소스에 기반하여 알고리듬으로 생성된 50여 개의 형상들이 거울 위를 유령처럼 떠돈다. 짐승, 수인(獸人), 사이보그, 해부학 모형 등, 출처가 모호한 형상들은 인류가 오랜 역사에 걸쳐 만들어 낸 상상 속 존재들로, 어떤 것은 신화적 원형을 드러내고, 또 어떤 것은 문화적 스테레오타입을 반영한다. 지구적 집단 상상을 체현한 이 형상들은 작품 속에서 브레이크 댄스를 추거나 좀비처럼 어정거린다. 자신의 겉모습과 일치하지 않는 방식으로 움직이며 그 기괴한 부조화를 통해 정체를 학정할 수 없는 낯선 존재로 끊임없이 둔갑한다. 천태만상 틈에 비치는 관객의 모습은 혼종적인 존재들과 공존하게 될 인류의 미래를 예시한다.

노 맨 II
No Man II

2020년 10월 23일~11월 22일
덕수궁 준명당

공동 기획: 옵/신 페스티벌, 아트 플랜트 아시아 2020
연출/구성: 호추니엔
텍스트 차용: 존 던, 『뜻하지 않았던 일들에 대한 묵상』 중 「명상 17번」
설치 공동 디자인/프로덕션 매니지먼트: 아트팩토리
3D 애니메이션: 미믹 프로덕션

추가 사운드 믹스: 제프리 유에, 리유진
솔로: 빈디카트릭스, 뉴 노베타(엘렌 프리드·키이라 폭스)
크레이그 보어맨 코러스: 사이먼 클리어리, 모락 케일,
조르지 네텔, 아르민 술직, 길리 탈 코리, 그 외
작곡: 빈디카트릭스

호추니엔, 「노 맨 II」. 사진: 타별

호추니엔, 「노 맨 II」. 제공: 작가

서현석

# 홀리스틱 아시아

¶ 싱가포르에서 활동하는 호추니엔의 「노 맨 II」(2017년)는 동물을 포함한 50여 캐릭터들이 만드는 앙상블이다.[1] 우주 비행사, 호랑이, 일본 병사, 고릴라, 타우로스, 차파오 혹은 비키니 차림의 젊은 여성... 어둠으로부터 릴레이를 하듯 스멀스멀 나타났다가 유령처럼 사라지는 이들은 인터넷에서 쉽게 구할 수 있는 3D 캐릭터들이다. 주로 게임을 위해 판매되는 화려한 개성의 도상들은 문화적 스테레오타입들이기도 하다. 이들은 작품이 전시된 덕수궁 내 준명당의 고풍스런 건축미와 기괴하게 충돌하며 언캐니한 존재감을 발산한다. 싱가포르 건국 50주년을 맞아 커미션을 받아 제작된 불특정한 상상적 주체들의 파편적 군집에는 그 어떤 기억의 흔적이나 정서의 잔상이 보이지 않는다. 영원히 현재형으로만 존립하는 듯한 이들을 엮는 그 어떤 동질적 단서나 관계의 망도 없다. 그럼에도 불구하고 그들이 공존하는 림보 공간은 이들의 개체성을 하나의 일관된 차원으로 평면화한다. 슬그머니 나타났다가 특별한 행위 없이 어슬렁거리기만 하는 것으로 50명의 앙상블은 하나의 지속적인 흐름 속에 놓인다. 17세기 영국 시인 존 던의 시 「그 누구도 섬이

---

1. 원작인 「노맨」(No Man, 2015년)은 6채널 설치 영상으로 싱가포르 국립 미술관에서 전시되었다.

아니다」(No Man Is an Island)를 레퍼런스로 삼는 이 작품은 실로 모든 인간들이 연결되어 있음을 피력한다. 50명의 캐릭터는 던의 시에서 '유럽'을 '말레이'로 대체한 가사의 노래를 합창한다. 이 이질적 계열체들이 나열하는 간주체적 비공동체를 국가라고 해도 되는 걸까. 영상의 스크린은 원래 중첩의 거울 효과를 만들며 스크린 앞에 선 관람객의 모습을 디지털 인물들 사이에 중첩시키며 홀리즘의 인식론을 제안한다. 우리는 그렇다면 무엇을 공유하는 걸까. 타자들을 한데 묶는 공동체의 힘과 원리는 오늘날 무엇으로 나타나는 걸까.

그 누구도 섬이 아니다.
각자는 대륙의 일부분,
본토의 한 조각일 뿐.
땅 조각이 바다에 휩쓸려 간다면
말레이는 그만큼 작아지는 것이니
바다에 솟은 곶이 떠내려가도
친구나 자신의 영지가 떠내려가도 마찬가지.
나는 인류의 한 부분.
그 누구의 죽음이든 내게는 손실이다.
그러니 누구를 위해 종이 울리는지 알아볼 필요 없다.
종은 당신을 위해 울린다.

¶ 호추니엔은 초기작부터 꾸준히 싱가포르의 국가 정체성과 역사를 인식하는 방식에 관한 비평적 질문들을 작품화해 왔다. 「우타마─역사의 모든 이름은 '나'이다」(Utama─Every Name

in History Is I, 2003년)는 싱가포르의 건국을 1965년의 공화
국 설립으로 설정하는 주류 역사 담론으로부터 탈구되어 14
세기 스리위자야 왕국의 상 닐라 우타마 왕자의 호명('사자의
땅')을 기원으로 삼는 건국 서사를 앞세운다. 이러한 신화적 상
상은 한 국가의 복합적인 역사를 하나의 기원으로 환원시키는
민족주의 서사 대신 다층적이고 유동적인 역사 주체를 호명하
는 탈구조주의적 담론으로 오늘의 현실에 스며든다. 영상과 회
화, 그리고 강연과 토론까지 아우르는 「우타마」의 '작품'으로서
의 다원적 성격은 역사를 다각적으로, 나아가 간주체적으로 볼
필요성을 설파한다. 이 초기작부터 여러 편의 하위 작품들로 구
성되는 「동남아시아 비평적 사전」(The Critical Dictionary of
Southeast Asia, 2017년~) 프로젝트에 이르기까지, 호추니엔의
작품은 역사의 다층적 성격과 그를 구성하는 주체의 가상적, 신
화적 기반에 주목해 왔다. 그가 쓰는 상상과 진실의 혼재향으
로서의 아시아 역사는 편향적이거나 단선적인 의미체로 묶이
지 않고 관점의 다원성과 상호 작용하는 유기체로 꿈틀거린다.
그 세계는 다양한 주체들의 상호 텍스트성으로 형성되는 통시
적인 관계들의 망이다. 이로써 역사학은 정치 이데올로기나 공
식적 대서사로부터 벗어나고 민족주의와 수정주의의 이분법으
로부터도 자유로운 수행적 경로를 취한다. 역사는 오늘을 보는
살아 있는 방식이다.

¶ 『토끼 방향 오브젝트』의 '아시아 작가' 섹션에서 소개된 호추
니엔, 호루이안, 로이스 응은 근대화 과정으로부터 상상적 미래
에 이르는 아시아의 역사를 고정된 사실들의 집합이 아닌 진행

형인 통찰의 영역으로 접근한다. 그러한 과정에서 세 작가들은 전통적인 매체의 경계를 넘는 다양한 형식을 취한다. 역사적 자료와 현재형의 제스처를 엮어 낼 수 있는 매체인 영상을 기본에 놓으며 강연과 퍼포먼스를 오가는 입체적인 형식을 취하거나 첨단 디지털 기술로 영상의 매체적 특징을 확장시키며 이미지 관념에 변형을 가하기도 한다. 탄탄한 리서치와 현실에 대한 예리한 비평적 감각은 어쩌면 다원적인 형식을 통해서만이 교감될 수 있을지 모른다. 이러한 매체와 형식의 확장은 역사를 확장적으로 통찰하는 수행적인 글쓰기의 경로가 된다. 형식적 경계의 월경은 국가를 넘어서는 사유를 위한 상징적인 발화로 작동한다.

¶ 홀로그램으로 구현된 「사이-(노)-파이」에서 홍콩의 로이스 응과 중국의 요우미가 그리는 근미래는 과학과 자본의 촘촘한 결합으로 인해 인간 주체가 파격적인 변형을 이룬 시대다. 국가의 기능을 대체하는 거대 자본의 사기업은 노동을 넘어서는 사회적 관계를 자본화하는 작업을 완성했고. 그 경로는 과학 기술이다. 이는 '사이언스논픽션', 그러니까 '사이파이'의 '허구'가 아닌 현실을 구성하는 과학의 서사다.(『토끼 방향 오브젝트』의 관념적, 사상적 영감의 한 원천이기도 한) 퀑탱 메이야수는 과학을 초월하는 서사의 필요성을 피력했지만, 로이스 응과 요우미가 제시하는 아시아의 미래 서사는 도리어 과학으로 변형되고 재규정되는 극명한 실재적 현실 그 자체다. 과학으로 재구축되는 인간 서사는 과학을 초월하는 상상보다 더 비현실적이고 비합리적이다. '과학'은 상상의 단초 역할을 하는 문학의 하위

장르로서의 수식어('사이'파이)가 아니라 '노 픽션'인 역사적 현실을 재정립하는 실체적 기준이다. 그것은 자본의 원리로 인간과 삶을 새로이 규정한다. 중국의 실제 뉴스 앵커를 디지털로 체현한 홀로그램 캐릭터가 과거형으로 설명하는 미래상은 중국의 거대한 소비 권력과 자본이 세계의 질서와 가치 체계를 역사로부터 탈구시킨 꼴이다. 문학은 게임의 하위 장르로 전락했고, 기억과 지식은 정보와 토큰 이상의 가치를 갖지 못한다. 따라서 베네딕트 앤더슨이 제안했던 민족국가의 기반인 출판 자본주의는 과속화된 정보 자본주의로 대체되어 국가의 상상에 탈인간적, 탈노동적인 변형을 가한다. 그것을 존립시키는 힘은 권력으로 집행되는 질서가 아니라, 그 체제에 균열을 가하는 오류다. 그러한 창의적 오류의 주체는 중국인이다. 과학은 '중국'의 매개를 통해 오류와 기묘하게 절합함으로써 사회를 유지시킨다. 자본주의는 불확실과 불일치의 원리로 미래를 만들어 간다. 미래 시제로 가장한 이러한 상상적 현실은 실은 현재의 자화상이다.

　가속화된 자본주의 풍경에 첨예한 시점을 투사하는 또 한 명의 작가는 싱가포르의 호루이안이다. 『토끼 방향 오브젝트』전을 통해 소개된 영상 작품 「학생의 몸」(2019년)은 역사라는 시간과 정치적 영토를 관통하는 아시아 국가들의 공동체적 운명을 추적하는 연작의 맥락에서 아시아라는 가변적인 총체를 또다시 면밀하게 그려 낸다. 이는 특히 바로 이전의 프로젝트 「기적의 탈을 벗은 아시아」(Asia the Unmiraculous, 2018년~)의 프리퀄이라 할 정도로 아시아 자본주의 역사의 결정적 사건들을 재방문하는데, 렉처 퍼포먼스, 설치, 영상 등 다양한 형식으로 구현되는 「기적의 탈을 벗은 아시아」는 한국, 태국, 일본, 싱가포르 등의 아시아 국가가 1990년대 맞은 경제 위기가 어떻게 그 이전까지의 경제적 '기적'에 대치되는 담론과 한 쌍을 이루며 현현했는가를 추적한다. 렉처 퍼포먼스 버전의 마지막에서 그가 인용하는 이미지는 중국이 건설한 고속 철도의 안정성을 테스트하기 위해 창틀에 2유로 동전을 세워 놓은 채 넘어지지 않고 유지되는 시간을 측정하는 유튜버들의 챌린지 영상들이다. 호루이안은 이 광경을 과속화되어 가는 자본주의의 표상으로 재해석한다. 오늘날 자본주의의 추진력은 위태롭게 중심을 유지하는 동전이 상징하는 유럽 체제로부터 그 기반에서 속도와 안정을 동시에 취하는 고속 철도/중국으로 이양되고 있는 것이다.

¶ 중국은 분명 아시아와 역사를 상호 연동적인 총체로 바라보는 세계관에 조커처럼 난입하여 상상 자체를 송두리째 뒤흔드는 엄청난 변수다. 초기 근대화로부터 탈식민, 공산화, 경제 성장과 위기로 이어지는 아시아 역사를 총체적으로 바라보기 위해 로이스 응과 호루이안이 직면하는 관념적, 실체적 축은 자본주의다. 자본이야말로 아시아 서사의 가장 중대한 모티브이며 중국의 패권은 이 모티브의 지배를 의미한다. 호루이안과 로이스 응은 자본주의라는 화두를 통해 아시아의 현재와 미래, 과거를 관통하는 서사를 작성한다.

¶ 「학생의 몸」은 가속화된 자본주의 아시아의 기원을 추적해 온 호루이안의 야심작이다. 거대하고 복잡한 주제를 함축적으로 다루기 위해 호루이안은 '학생'이라는 주제어를 택한다. 학

생의 의미와 정체성은 시대마다 국가마다 달랐지만, 호루이안은 오히려 그러한 다름의 정치적 맥락을 통해 자본이 국가와 결탁하거나 그에 대한 저항이 발생하는 지점들을 일관성 있게 그려 낸다. 그가 말하는 '몸'이란 역사적 사건에 구체적으로 동참하는 개별적 실체이기도 하며 역사를 창출하는 '조직'이기도 하다. 일본 에도 시대 바쿠마츠(幕末) 시기의 최초의 유럽 유학생들로부터 20세기 말 아시아 각국의 '스타 자본주의 제자'들에 이르기까지, 호루이안이 꿰뚫는 '학생'의 과업은 서구의 자본주의를 아시아에 가져오는 것이었다. '학생'은 또한 1960년대 일본으로부터 1970년대 한국과 태국의 운동에 이르는 저항의 계보를 형성한다. 「기적의 탈을 벗은 아시아」에서 경제적 '기적'과 '위기'가 역사적 서사의 양면을 이루었음을 밝힌 논리와 크게 다르지 않게, 「학생의 몸」은 동화와 저항의 두 맥을 같은 관념적 실체로서 밝혀낸다. 호루이안의 역사학은 그리하여 이분법적 대립이 아닌 양가적 현실로서의 역사적 현실을 직면한다. 이러한 관점을 통해 호루이안이 바라보는 동아시아와 동남아시아의 역사는 국가 간의 묘연하면서도 긴밀한 다수의 통로들을 통해 연결되는 공동체적 운명을 지닌다. '연결'의 형태와 패턴은 다양하게 나타나지만, 그것을 지배하는 원리와 힘에는 일관성이 존재한다. 그리고 그 패턴은 경제 위기를 벗어나는 21세기 들어 엔터테인먼트 산업으로 현현한다.

"학교를 배경으로 한 아이돌 드라마와 공포 영화가 아시아 전역에서 인기를 끌면서, 엔터테인먼트와 문화 부문의 성장에 힘입어 동아시아 경제 회복세는 가속 중이다."

'학생'은 '아이돌'로 대체되어 다시 아시아의 역사를 이끈
다. 점점 극심하게 과속화되는 자본의 역사.

¶ 로이스 응이 요우미와의 협업을 통해 「사이-(노)-파이」에서
그린 아시아의 미래는 그의 데뷔작이라 할 수 있는 퍼포먼스
「쇼와의 유령」의 시퀄처럼 다가온다.2 한국에서 제작된 이 전
작에서 로이스 응은 전후 아시아의 경제적 모델이 된 전형으로
서 쇼와 시대 만주 산업부 차관이었던 기시 노부스케의 활동을
조명한다. 기시는 미국의 포디즘과 독일의 산업 합리화를 수용
하여 산업합리원을 설립, 운영하였으나 일본의 패전으로 중단
되었고, 만주에서 실패한 그의 비전은 도리어 전후에 '제자'들
을 통해 아시아로 성공적으로 펴져 나갔다. 기시의 비전을 한국
에 심은 애제자가 박정희였다. 기시와 박정희의 밀접한 관계는
2017년 국내 연구서가 출간되면서 비로소 소개되기는 하였지
만, 로이스 응이 일본에서 면밀하게 리서치한 내용이 학술이 아
닌 예술 퍼포먼스를 통해 전달된 것은 눈여겨볼 맥락이다. 그 이
전만 하더라도 박정희의 만주에서의 행적에 관한 기록이나 연
구는 거의 없었고, 그랬기 때문에 한국에 모더니즘이 도래한 일
제 강점 이외의 경로를 만주에서 모색해 오던 역사학적 노력은
희망적으로 유보되고 있었다. 퍼포먼스 형태로 이뤄진 로이스
응의 연구 발표는 사실상 그 가능성을 일축해 버린 셈이다. 어
쨌거나 홍콩에서 활동하는 로이스 응이 아시아 자본주의 역사
를 연구하면서 밝혀내고 통찰하는 맥락은 아시아 각국이 서로

2. 로이스 응은 국립아시아문화전당 예술극장에서 2016년 초연된 형태를 개작하여 2017
년 국립현대미술관에서 다시 공연했다.

긴밀히 연결된 운명을 지닌다는 사실이다. 로이스 응은 국립현대미술관과의 인터뷰에서 이러한 역사관을 호의적이고 희망적인 발언으로 옮겼다.

> 제게 있어서 아시아는 국경 이상의 의미를 지니며, 여러 문화가 교차하는 정체성을 갖습니다. 아시아 내에 있는 나라들을 구별하는 것보다 서로 어떤 점을 공유하고 있는지를 보는 것이 훨씬 더 중요합니다. 그 점이 바로 아시아가 지닌 아름다움이 아닐까요.

¶ 로이스 응, 호루이안, 호추니엔을 통해 교감되는 역사는 일본과 서구의 통치 아래 진행된 근대화로부터 자본의 가속화로 이어지는 중국의 패권에 이르는 아시아 공통의 궤적을 가시화하는 하나의 거대한 패턴이다. "그 누구의 죽음이든 내게는 손실이다." 울리는 종은 아시아 각국을 위해 울리는 것이면서 아시아 총체를 위해 울리는 것이기도 하다. 세 작가가 경청하는 종은 공동의 운명을 축복하는 은은한 종임을 넘어 자본의 가공할 속도에 대한 '경종'에 가까워진다.

이 글은 다음 문헌에 처음 수록되었다. 『토끼 방향 오브젝트』, 전시 도록(서울: 아트 플랜트 아시아 · 중구청, 2020년), 58~68.

황수현

# 음 ——

황수현의 신작 「음 ——」은 정관헌(靜觀軒)이라는 공간이 함의하고 있는 '조용히 내다본다'는 행위를 조명한다. 바라본다는 시각적 감각과 저 너머를 내다본다는 예기적 감각 사이에서 안무가는 '본다'는 감각 행위의 의미를 반추한다.

　「음 ——」은 관객이 바깥 풍경을 내다보면서 해석의 과정을 지연하는 멈춤 상태에 머무를 수 있도록 안내한다. 함께 모여 무언가를 관람하고 의미를 찾는 과정이 잠시 정지된 이 상태는 막연하고 모호한 공백을 만들어 낸다. 그 진공 속에서 관객은 불현듯 의미화 너머의 세계를 감지하기 시작한다.

　오늘날 스크린이 아니라 '몸'으로 공연을 감각하는 행위는 감각적 진보와 도태 사이, 시각적 구체와 추상 사이, 과거의 향수와 미래의 가능성 사이를 부유한다. 그러나 이 유예의 상태는 곧 '내다보기'의 영역으로 내디딜 수 있는 단서가 된다.

음 ——

Hmmmm

2020년 10월 27~28일
덕수궁 정관헌

콘셉트/안무: 황수현
퍼포머: 강호정, 김주영, 도윤승, 박유라, 신정민, 이현우, 황다솜
기술 감독: 김지명
음향 디자인: 지미세르
그래픽 작업: 백인경
사진/기록 영상: 이의록
의상 디자인: 임선열
프로듀서: 박초아
프로덕션 매니저: 김헌후
후원: 서울특별시, 서울문화재단, 한국문화예술위원회, 전문무용수지원센터

황수현, 「음 ──」. 사진: 박수환

황수현, 「음 ──── 」. 사진: 박수환

황수현·김신우

# 「음———」인터뷰

김: 작품의 방향성에 대해서 먼저 소개를 부탁드립니다.

황: 몇 가지 가닥이 있었습니다. 그중 하나는 '본다'라는 개념입니다. 그동안 해 왔던 작업에서 주요 관심사는 퍼포머의 몸과 관객의 몸, 그리고 그 두 몸의 관계였는데, 그 전까지는 퍼포머의 신체를 바라보는 것만으로 얼마만큼 관객에게 감각과 감정을 전이시킬 수 있는가를 실험했다면 2019년부터는 퍼포머의 몸을 좀 지워 내고, 관객의 몸을 더 개입시켜서 두 몸의 균형을 맞춰 보려는 시도를 하게 되었습니다. 이를테면 퍼포머와 관객이 함께 원형으로 앉는 구조를 만들어서 관객이 퍼포머의 신체를 눈으로 볼 수 있는 요소를 축소하고, 또 관객의 신체에 가중치를 부여하는 작업이 이어졌습니다. 아니면 관객은 퍼포머를 볼 수 있지만 퍼포머가 공연 내내 눈을 감고 있는 경우, 관객은 눈으로 보이는 것 너머로 어떤 것을 볼 수 있게 되는가를 질문하기도 했습니다. 이번 작업에서는, 퍼포머의 신체를 없앤다는 것은 뭘까, 어디까지 지워 낼 수 있을까를 고민했습니다. 아예 사라진다는 것이 아니라, 존재하지만 존재하지 않을 수 있는 방법, 보이지만 보이는 것이 중요하지 않을 수 있는 방법이랄까요. 시각보다는 다른 감각에 비중을 둘 수 있다는 것이 무용이

다른 예술 장르들과 다른 지점이고, 그렇기에 중요한 부분이라고 생각합니다. 퍼포머로서 춤을 출 때의 감각은 일상에서 느끼는 것과는 전혀 다른 감각 경험인 것에 비해, 관객으로서 춤을 볼 때의 경험은 여전히 너무 '본다'라는 감각에 치중되어 있지 않나 싶어요. 그 두 경험을 어떻게 공유할 수 있을까의 문제를 계속 다루고자 했습니다.

그런 의미에서 관객과의 거리도 중요하고, 관객의 배치도 중요합니다. 그런데 또 코로나라는 상황 속에서 이 문제에 다시 흔들림이 생겼습니다. 그간 가까이에서 보고 감지하는 경험을 고민해 왔는데, 현 상황에서 그것을 어떻게 지속할 수 있을까 의문이 생긴 거죠. 사실 2019년에 작업을 하면서도 미래에 신체를 매개로 하는 공연 예술에서 무엇이 남고 무엇은 사라지게 될까 질문을 했는데, 그때만 해도 미래의 변화가 가상 현실이나, 이런 매체의 변화로 인한 물리적 감각의 변화일 거라고 생각했어요. 그런데 1년 만에 이렇게 사회적 거리두기나 공연의 온라인화로 아예 넘어가면서, 뭔가를 시도해 볼 수 있는 기회 자체가 사라졌고, 덕분에 고민이 많아졌습니다. 온라인으로 공연을 많이 하고 있고, 그것을 마냥 거부할 수 있는 시대도 아니지만, 그렇다고 현장에서의 활동을 놓칠 수 없는 부분도 있으니까 그 두 가지를 어떻게 같이 가져가느냐의 문제를 고민하게 되었어요.

덕수궁이라는 공간의 문제도 빼놓을 수 없습니다. 정관헌은 '조용히 내다보는 곳'이라는 의미라고 해요. 이 공간에 앉아서 바깥을 내다볼 때 보이는 풍경이 사유를 일으키기도 하고, 시간을 멈추는 듯한 느낌도 들었어요. 이미 덕수궁이라는 공간 자체가 시간이 멈춰 버린 공간이기도 하고요. 이 공간이 가지고 있는 역사성보다는 지어진 목적과 구조에 더 집중을 했습니다. 이렇게 세 가지 갈래를 종합적으로 고려하면서 어떤 형식이 좋을까를 고민했고, 그 과정에서 관객과 퍼포머가 나란히 앉는 구조, 눈으로 볼 수도 있지만 그보다는 소리로 감각하는 것이 더 중요한 공연 형식이 생겨났습니다.

김: 작품의 제목이 「음ㅡㅡ」인데요, 어떤 함의가 있을까요?

황: '음'은 진동을 일으키는 소리이기도 하고, 우리가 평상시에 말을 할 때 중간에 고민하면서 쓰는 말이기도 하죠. 시간이 잠시 멈춘 듯한 순간이에요. 완전히 정지된 것은 아니고 여전히 흐르고 있지만 바깥으로는 나가지 않는 멈춤의 상태? 또 요즘 같은 상황 속에서 물리적으로 입을 벌리지 않고 낼 수 있는 소리 중에 하나기도 해요. 그런 여러 복합적인 이유에서 '음ㅡㅡ'이라는 소리를 공연에 사용하고 싶었어요.

특히 이 잠깐의 멈춤 상태는 시대적인 상황과도 맞닿아 있는 것 같아요. 작품 초반에는 '퍼포머들이 공연 중에 그냥 다 같이 잤으면 좋겠다'는 생각을 많이 했습니다. 잠은 회복을 위한 기제잖아요. 또 자본주의 사회에서 가장 통제할 수 없는 부분이기도 하고요. 계속해서 잠을 줄여 가면서 생산을 해야 하는 사회 속에서 오히려 잠을 종용하고 쉼을 강제함으로써 흐름에 반하는 시도를 해 볼 수 있지 않을까 싶었던 거죠. 지금 우리가 살고 있는 시간도 막연한 멈춤이라고 보기보다 회복의 시간, 잠재성을 품고 있는 시간이라고 볼 수 있었으면 좋겠고, 그런 시간을 만날 수 있었으면 좋겠다고 생각했어요.

김: 아까도 말씀하신 것처럼 덕수궁 정관헌이라는 공간이 공연에 아주 중요한 요소로 작용하지요. 어떻게 접근했는지 조금 더 설명 부탁드립니다. 공간이 이미 본다라는 뜻을 가지고 있는데, 이것은 어떻게 접목되었나요?

황: 이 공간에서 공연을 하게 됨에 따라 제게 주어진 조건들이 있었습니다. 도시와 숲속, 현대적인 도심과 과거의 시간. 그리고 그동안에는 주로 여자 무용수하고만 작업을 해 왔는데, 이 작업에서는 남자와 여자 무용수의 균형도 중요했어요. 이렇게 두 가지 이상의 측면이 있는 요소들이 교차하기에 이 공간과 시간이 너무도 적합했던 것 같아요. 그 교차의 순간에는 뭔가 멈춤이 발생하는데, 그 안에서는 또 역동적인 활동이 일어나고 있는 상황인 거죠. 공연 중에 퍼포머들이 새소리를 내는데, 퍼포머들이 내는 새소리를 듣다 보면 바깥의 새소리를 훨씬 더 잘 듣게 되더라고요. 퍼포머들이 만들어 내는 소리로 인해서 공간을 다시 보게 된다는 점이 흥미로웠어요. 보는 감각 대신 듣는 감각이 활성화될 때, 훨씬 더 피로한 활동이지만 또 훨씬 더 많은 상상력과 가능성들을 마주하게 되고, 전혀 새로운 시공간이 갑자기 생겨나는 듯한 경험을 할 수 있게 돼요.

김: 앞서 몸을 지워 내고자 시도했다고 말씀하셨는데, 이 작품에서 몸의 위치는 어디에 있는지 궁금합니다.

황: 지워 낸다는 의미는 사라지게 한다기보다는 시각선에서 지워 낸다는 의미에 더 가깝습니다. 보이지 않을 때 몸의 있음을

더 잘 느낄 수 있게 되는 것 같거든요. 온라인 공연에서도 우리는 여전히 몸을 보지만, 같은 공간에 몸이 있을 때 그 몸을 보는 것과는 분명히 다른 경험일 것이고, 그 지점을 어떻게 부각시키고 다른 경험으로 만들어 낼 것인가가 고민이 되었어요. 저는 개인적으로 바닥에 앉아 있을 때, 몸에 작용하는 중력이 더 느껴져서 그런지 더 '있다'라는 느낌을 받거든요. 그래서 모두가 계속해서 바닥에 앉아 있는 공연이 되었어요. 지면이 완전히 내 하체와 붙어 있을 때, 존재를 무겁게 인지하게 된달까요.

김: 본다는 행위, 시간과 공간, 흐름과 멈춤, 무거운 몸 등 여러 층위에서 의미가 발생하는 공연이 될 것 같습니다. 작품이 가지고 있는 충분한 여백 덕에 그런 의미들이 관객에게 저마다 다른 방식으로 생겨나게 될 테니 공연을 본 관객들의 반응도 궁금해지네요. 오늘 감사했습니다.

김신우

# 멈춰 보는 풍경 너머

덕수궁의 정관헌은 삼면이 바깥으로 트여 있는 구조다. 안에 앉아 바깥을 바라보면 석조 기둥이 액자가 되어 솔숲을 한 폭 그림으로 담아낸다. 고요히 내다보는 집이라는 뜻을 가진 이곳에서 황수현의 공연 「음——」은 새롭게 보기를 제안한다. 바깥을 바라보고 나란히 앉은 여덟 명의 관객은 눈 대신 귀와 온 몸으로 보고, 보이지 않았던 것을 보고, 보이는 것 그 너머를 보게 된다.

공연이 시작되면 관객을 마주보고 앉았던 퍼포머들이 일어나 한 명씩 관객 사이에 앉는다. 관객의 시야에는 풍경만이 남는다. 관람의 강박으로부터 해방된 눈은 길을 잃고 허공을 부유한다. 의미를 찾을 필요가 없는 바라보기는 그 자체로 멈춤이자 쉼이다. 같은 속도로 나란히 달리는 기차는 서로의 속도를 감지할 수 없듯, 세상의 흐름을 감각하기 위해서는 어느 하나가 멈춰야 한다. 작품이 만들어 내는 40분 남짓의 멈춤의 시간 속에서 관객은 그 흐름을 생경한 감각으로 바라보게 되고, 낯선 여백 속에서 세상과 다른 방식으로 연결될 수 있는 잠재성을 발견한다.

퍼포머가 다시 시각선에 들어와 조금씩 움직이기 시작하지만, 그 움직임은 제자리에서 흔들리는 풀이나 조금씩 미끄러져 나아가는 달팽이와 다르지 않다. 그로써 전경과 후경의 구분은 계속해서 흐릿하게 남고 시각은 제게 익숙한 기능을 수행하지 못하며 청각과 촉각에 자리를 내준다. 퍼포머들은 다양한 음역대로 '음' 소리를 내고, 새소리, 짐승 소리를 낸다. 소리는 모두 의미가 아닌 파동으로 몸에 와닿는다. 소리에 함께 공명하기 위해 애를 써야 하는 과정은 낯설고 피로하다. 주어지는 정보를 해석하고, 인과성을 이해하는 편리한 과정에 익숙한 의식을 잠시 내려놓는 일은 노력을 필요로 한다. 마침내 의식의 장력을 넘어서는 순간, 듣는 이의 몸은 단단한 껍질이 아니라 함께 진동하는 투과성 높은 막이 된다. 언어와 해석을 위한 정보로만 가득했던 세상에 다른 감각들이 침투하기 시작한다. 퍼포머가 내는 새소리에 귀를 기울이면 바깥의 진짜 새소리가 같이 들리고, 퍼포머가 바닥을 스치는 모습을 보다 보면 바깥의 낙엽이 쓸리는 모습이 함께 보인다. 퍼포머가 바닥에 쓰러질 때면 보이지 않았던 중력의 작용을 체감한다. 정지된 그림 같았던 솔가지 사이로 부산히 오가는 새들이 보이고, 마당에 피어오른 먼지가 바람에 흐트러지는 모습이 보이기 시작한다. 조금씩 뻗어 나가기 시작하는 감각은 정관헌에서 걸음을 내디뎌 어느새 솔숲을 넘고 덕수궁 담장을 넘어 대기, 빛, 파동 등 끝없이 많은 물질들의 부산스러운 움직임에 조심스럽게 가닿는다.

바람은 더는 몸을 스쳐 지나가지 않고, 몸 한가운데를 훅 통과한다. 세상으로부터 주체를 견고하게 보호하는 것 같았던 몸의 표피가 다공성으로 감각되는 경험은 공포스럽다. 세상의 물질을 연결하고 있는 촘촘한 실타래를 엿보는 찰나의 순간은 아득한 무게로 다가온다. 신유물론자 카렌 바라드는 행위 주체성이 인간 주체에 놓이지 않는다는 사실에 많은 사람들이 큰 불안감을 느끼지만, 그것을 인정하는 일이야말로 이 세계를 구성하고 있는 힘의 불균형을 직시하기 위한 첫 단계라고 말한다. 모든 개체는 독립적이고, 개별적으로 존재하며, 자신만의 행위 주체성을 가지고 서로 상호 작용(interaction)한다는 기존의 사유 방식하에서는 인간 중심주의의 중력에서 벗어나기 쉽지 않다. 고립된 개체들은 끊임없이 주객을 분리하고 행위 주체성을 소유하려 하기 때문이다. 바라드의 관점에서 이 세계의 모든 물질은 서로 명확히 분리될 수 없는 뒤얽힘으로 존재하며, 한데 뒤엉켜 상간 작용(intraction)한다. 지금껏 그래 왔던 것처럼 이 세계의 많은 문제에 대해 단일한 주체로 책임을 돌리고, 단선적인 인과를 규명하는 간편한 방법 대신, 상간 작용의 복잡성을 직시하고 응답의 책임(response-ability)을 가져야 한다는 그의 주장은 여러 국면에서 재난을 마주하고 있는 오늘날 대안적인 사유 방식을 제안한다.[1] 그런 의미에서 「음──」에서 잠시나마 이 세계의 물질들이 뒤섞여 작용하고 있는 양태를 감각하는 일은 새로운 윤리로 나아갈 수 있는 한 걸음이 된다. 공연은 일상의 흐름을 잠시 멈추고, 논리와 해석으로 닫혀 있었던 감각들을 열어젖혀 눈앞에 보이는 솔숲 너머의 세계, 복잡성 속에서 약동하고 있는 물질들의 세계를 내다볼 수 있게 해 준다. 나의 몸 역시도 그 생태계 속에서 뒤엉켜 진동하고 있음을 감지하는 경험은 값지다.

식물이 되었다가, 파동이 되었다가, 동물이 되었던 퍼포머들은 이제 잠에 빠져든다. 오후 네 시의 느른한 빛이 기둥 사이

---

1. 릭 돌페인(Rick Dolphijn)·이리스 판데르타윈(Iris van der Tuin), 「캐런 바라드 인터뷰」(Interview with Karen Barad), 『신유물론』(New Materialism: Interviews & Cartographies, 앤 아버: 오픈 휴메니티스 프레스[Open Humanities Press], 2012년), 54~7.

로 미끄러져 들어와 그들의 어깨 위로 그림자를 늘어뜨린다. 그
림자가 점점 길어진다. 시간이 다시 흐르는 것이다. 무용수들이
하나둘 일어나 떠나고, 공간에는 기둥에 머리를 기대고 잠든 남
자 무용수 하나만 남았다. 그는 꿈속에서 어떤 그물망 사이를 유
영하고 있을지 궁금해진다. 저 너머 전각의 처마 아래에 날벌레
들은 저마다 빛의 입자를 입고 반짝이며 관계의 좌표를 그린다.

아트 플랜트 아시아 2020·옵/신 페스티벌 화상 세미나

# 정/동/사/물 2—사물학 연대기

해외 석학 화상 세미나 '정/동/사/물'은 인간 중심적 사유에 근거한 서구 문명이 팬데믹과 인류세 등의 위기를 직면하고 있는 상황에서 인간이 아닌 것들과의 공존을 위해 세계 각국의 사상가들의 사유와 대안을 들었다.

육후이는 기술에 대한 중국의 전통적 사유를 사례로 코스모테크닉스라는 개념을 제시하는 한편, 디지털 대상의 규명과 기계와 생태의 모호한 경계 등을 문제시하면서 기술에 대한 사유를 이어 갔다. 일본의 고쿠분 고이치로는 행위의 주체보다 사건으로서의 행위가 먼저 있었던, 주체도, 자유 의지도 존재하기 이전의 세계를 그렸으며, 한국의 이정우는 『장자』「제물론」에 나오는 도추(道樞, joint of way) 개념을 이접적 종합(disjuctive synthesis) 개념을 매개로 현대적으로 재해석하여 내재적 가능 세계론과 타자되기에 대해서 논했다. 스웨덴의 안무가 마텐 스팽베르크는 최근 사변적 실재론적 사유와 안무의 접목을 시도했다.

정/동/사/물 2—사물학 연대기
Chronicle of Every Thing

2020년 10월 29일
정동1928 아트센터

사회: 서현석

발제/질의:
고쿠분 고이치로(도쿄 대학교 교수) / 박성관(대안연구공동체 연구원)
육후이(바우하우스 대학교 교수) / 이승현(APA 2020 전시 총감독)
이정우(경희사이버대학교 교수) / 김남시(이화여자대학교 교수)
마텐 스팽베르크(안무가, 무용 이론가) / 김성희(옵/신 페스티벌 예술감독)

마텐 스팽베르크

# 그들은 야생에 있었다

「그들은 야생에 있었다」는 '춤과 함께하기', '떨어져 있지만 함께 하기'의 또 다른 방식이다. 마텐 스팽베르크는 축제 기간에 걸쳐 매일 새로운 글을 쓰며 수행적 글쓰기라는 방식을 통해 축제에 참여한다. 춤과 예술이 할 수 있는 일, 예술과 생태계, 예술이 기술로 매개되는 현상 등에 관한 개인적인 성찰과 단상이 담긴다. 이 글은 처음부터 끝까지 오직 한국어로만 공개되며, 이로써 오늘날 국제 무용 현장에서 작동하는 위계를 재고한다.

그들은 야생에 있었다

they were in the wild

2020년 10월 9~24일
연재 페이지: https://www.notion.so/f8dcfd5ead8443819d8352a5315e4e8f

글쓰기: 마텐 스팽베르크
번역: 이경후

# 참여한 사람들

## 노경애

네덜란드 ArtEZ 미술 대학(전 EDDC)에서 공부하며 몸에 대한 이해와 움직임 연구, 자신의 작업을 탐구하기 시작했다. 2010년 한국에서 아트엘(ArtEL)을 창단하고 서울국제공연예술제, 페스티벌 봄, 국립아시아문화전당, 서울미디어시티비엔날레, 독일 포츠담 탄츠타게 페스티벌 등에서 공연 및 프로젝트를 진행했다. 다양한 참여자를 대상으로 예술 교육 활동을 하고 있으며, 「듣다」, 「여러가지 선」, 「점점 퍼지다」, 「21°11′」 등 장애·비장애 예술가들과 함께 창작 작업을 하고 있다.

## 메테 에드바르센
### Mette Edvardsen

오슬로와 브뤼셀에서 활동하는 안무가, 퍼포머. 그의 일부 작품은 영상, 책, 글쓰기 등 다른 매체와 형식의 작품을 탐구하기도 하지만, 모든 작품을 관통하는 관심사는 실천과 상황으로서 공연 예술의 관계성이다. 여러 무용단과 프로젝트에서 무용수, 퍼포머로 활동해 왔으며, 2002년부터 자신의 안무 작업을 선보이고 있다. 2015년 오슬로의 블랙박스 극장에서 회고전이 열렸고, 2018년 바르셀로나의 MACBA에서 특별전이 개최되었다.

## 마텐 스팽베르크
### Mårten Spångberg

여러 영역에 걸쳐 활동하는 안무가, 무용 이론가. 확장된 영역에서의 안무, 다양한 형식과 표현을 통한 안무의 실험적 실천 등이 주된 관심사이며 다층적 형식을 띤 실험적 실천을 통해 이 문제들에 접근해 왔다. 2008년부터 2012년까지 스톡홀름의 무용 대학교에서 안무학을 이끌었고 2011년 『스팽베르크주의』를 출간했다. 최근에는 생태학과 후기 인류세 미학에 관한 작업을 발표하고 있다.

## 김황

김황은 실용적 목적에 제한된 디자인의 의미를 확장하고 자본의 권위와 속박에 저항하는 디자인 작업을 해 오고 있다. 재기발랄한 창작 작업을 중심으로 억압 논리의 조악함, 비상식의 사회상, 현실 속의 코미디 등을 주제로 삼는다. 동시대 비평적 디자이너들과 연대하며 「CCTV 샹들리에」, 「피라미드 전구」, 「소비 배급 거래제도」 등을 디자인했다. 360도 CCTV를 착용하고 거리를 활보하는 「CCTV 샹들리에」, 북한에 피자 만드는 동영상을 밀수하는 「모두를 위한 피자」 등 대표작들은 런던 바비칸 센터, 예루살렘 이스라엘 뮤지엄, 서울 페스티벌 봄 및 다수의 국가에서 공연, 전시 및 상영되었다.

## 남정현

남정현은 2018년부터 극한의 어둠과 빛, 섬세함과 광폭함을 넘나드는 사운드 등 극장을 구성하는 요소들을 그 자체로 주인공 삼아 실험해 왔다. 2018년 아르코소극장 「그것과 그 것」, 플랫폼 L에서 「빈중심」을 선보였으며 2019년에는 문래예술공장에서 「망각」을 공연하였고 2020년에는 문화역서울 284 RTO에서 「영원한 구멍」을 발표했다.

## 로이스 응
### Royce Ng

로이스 응은 홍콩을 기반으로 활동하는 비디오·퍼포먼스 아티스트다. 아시아 근현대사, 다국적 무역, 정치, 경제, 예술의 교차점에 관한 작품을 선보였다. 취리히 야콥스 미술관, 뉴욕 퍼포마 비엔날레 호주관, 광주비엔날레, 부산비엔날레 등에서 전시했고, 국립아시아문화전당 예술극장과 함부르크 캄프나겔 극장에서 「뱀파이어 기시」를 공연했다. 국립현대미술관 다원예술 프로젝트에 선정된 「조미아의 여왕」이 독일, 스위스, 홍콩에 소개되었다.

## 호루이안
### Ho Rui An

호루이안은 동시대 미술, 영화, 퍼포먼스, 예술 이론의 영역에서 활동하는 싱가포르 작가다. 주로 렉처, 에세이, 필름 등의 매체를 통해 이미지와 권력 사이 변화와 관계의 양상을 살핀다. 특히 글로벌리즘과 거버넌스의 맥락하에 이미지가 생산되고, 유통되고, 사라지는 방식에 주목한다. 광주비엔날레(2018년), 자카르타 비엔날레(2017년), 샤르자 비엔날레(2017년), 코치-무지리스 비엔날레(2014년), 베를린 세계 문화의 집(2017년) 등에서 작품을 선보였다.

### 호추니엔
### Ho Tzu Nyen

호추니엔은 싱가포르의 미디어 및 공연 작가이자 영화감독이다. 영상과 그림이 혼합된 작품 「우타마―역사 속의 모든 이름은 바로 나」(2003년)는 상파울루 비엔날레, 후쿠오카 아시아 트리엔날레에 전시되었으며, 장편 데뷔작 「여기 어딘가에」(2009년)가 칸 영화제에, 「미지의 구름」(2011년)이 선댄스 영화제에 초청되었다. 그의 공연 작품 「만 마리의 호랑이」는 2015년 국립아시아문화전당 예술극장 개관 축제에서 공연되었고, 2017년 국립현대미술관 『불확정성의 원리』에서 「동남아시아 비평사전 제2권: G-Ghost(유령작가)」가 소개되었다. 2018년 다원예술 프로젝트 '아시아 포커스'를 통해 「의문의 라이텍」을 발표했다.

### 황수현

황수현은 공연예술에서 감각과 인지 사이의 상관관계를 꾸준히 탐구해 온 안무가이다. 신체 감각이 전이되는 과정 자체를 공연화한 「나는 그 사람이 느끼는 것을 생각한다」로 2019년 신촌극장, 서울변방연극제, 원앤제이갤러리에서 공연하였으며 이듬해 서울국제공연예술제에 공식 초청되었다. 최근 안무작

「검정감각」은 한국춤비평가협회가 수여한 '2019 베스트 작품상'을 수상하고 2020년 국립현대무용단 스텝업 프로그램에 선정되었다.

## 글쓴이

### 김성희

기획자로서 다양한 예술 형식과 관점을 소개하고 제작해 왔다. 2007년 다원 예술 축제 '페스티벌 봄'을 창설해 2013년까지 초대 감독을 맡았고, 국제현대무용제(MODAFE, 2002~5), 백남준아트센터 개막 축제 스테이션 2(2008), 국립아시아문화전당 예술극장 초대 예술 감독(2013~16), 국립현대미술관 다원 예술 감독(2017~18)을 역임했다. 『미래 예술』(2016)의 공동 저자다.

### 허명진

무용 전문지 『몸』 기자를 거쳐 2003년 무용예술상 평론 부문에 당선되어 평론 활동을 시작했다. 공연 예술지 『판』 편집 위원, 국립현대무용단 교육·리서치 연구원을 거치면서 무용의 접점을 다변화하는 작업에 관심을 기울여 왔다.

### 서현석

서현석은 영상과 퍼포먼스 그리고 글쓰기를 통해 공간과 감각에 관한 탐구를 진행하고 있다. 장소 기반의 퍼포먼스 및 전시를 통해 '작품' 및 체험의 경계를 질문하는 형식을 실험하는 한편, 아시아에서의 국가 형성과 모더니즘 건축의 관계를 탐색하는 영상 작품들을 만들고 있다. 『미래 예술』(2016)과 『Horror to the Extreme: Changing Boundaries in Asian Cinema』(2009)를 공동으로 썼고, 비정기 간행물 『옵.신』을 내고 있다. 연세대학교 커뮤니케이션대학원에서 영화를 가르친다.

### 이한범

미술 비평가. 나선프레스를 운영한다.

### 이경후

공연 관련 통번역을 하고 있다. 광주 아시아예술극장 개관 페스티벌, 페스티벌 봄 등에서 일하고 뮤지컬과 연극 등의 연출 통역을 했다. 책 『a second chance: 늘변』과 『거의 모든 경우의 수: parlando』를 만들었다.

### 김하연

학부에서 동시대 미술을 전공했다. 최근에는 게임이라는 미디어의 효과로서, 몰입을 통한 가상적 환상 안에서의 경험과 현실의 관계에 관심을 두고 작업을 이어 가고 있다.

### 이경미

연극학자, 연극 평론가. 고려대학교와 독일 뒤셀도르프 대학에서 공부했다. 기존의 경계를 넘어 하루가 다르게 확장해 가는 현대 공연 예술의 지형 변화에 큰 관심을 갖고 있다. 국내 창작자들의 작업을 미학적 차원에서 분석, 논문에서 리뷰까지 다양한 형태의 글쓰기로 실천하면서, 작업과 이론이 더 가깝게 상생할 수 있기를 희망한다. 한 편의 좋은 공연이 세상을 바꿀 수 있는 소중한 동력이라는 것을 굳게 믿고 있다.

## 서동진

계원예술대학교 융합예술학과 교수. 자본주의 경제와 문화의 관계에 대한 비판적 분석에 관심이 있으며 근년 시각 예술과 퍼포먼스에 관련한 글을 두루 발표했다. 최근에는 신유물론과 정동 이론 등의 새로운 지적 경향에 대한 마르크스주의적 비판을 위한 세미나를 지속해 왔다. 저서로 『동시대 이후』, 『변증법의 낮잠』, 『자유의 의지, 자기계발의 의지』, 『디자인 멜랑콜리아』 등이, 공저서로 『공간을 스코어링하다』, 『공동의 리듬, 공동의 몸』, 『빨강, 파랑, 그리고 노랑─임흥순』 등이 있다. 2020년 국립아시아문화의전당의 전시 『연대의 홀씨』에 협력 큐레이터로 참여했으며, 『타이틀매치: 흔들리는 사람들에게』, 『미술-금융-비즈니스』 전시에 참여했다.

## 방혜진

비평가. 영상과 퍼포먼스를 연구하고 전시-바깥으로부터 예외적-전시 상황을 탐구한다. 기획한 전시/프로젝트로 『시체이거나 영광이거나: 내러티브×픽션×아카이브』, 『EX-EXHIBITION: 장면정면전면직면』, 『인식장애극장』, 『iNo Dance!』 등이 있다. 국립현대무용단의 「우회공간」을 만들고 남산예술센터 상임 드라마투르그를 역임하는 등 여러 기관 및 작가와 다양한 방식으로 협업했다.

## 요우미
## Mi You

쾰른 미디어아트 아카데미에서 학생들을 가르치며 큐레이터로 활동하고 있다. 고대와 미래의 기술과 네트워크의 문제를 중점적으로 다룬다. 제13회 상하이 비엔날레(2020/2021) 큐레이터 중 한 명이다.


## 응우옌민
## Minh Nguyen

큐레이터. 사이공에서 태어나 현재 시카고에서 활동하고 있다. 미디어연구, 디자인과 도시계획의 역할, 공정한 공간의 창조, 집단 시위 등에 관심을 갖고 있다. 현재 시카고대학교 건축디자인센터에 소속된 시애틀건축재단에서 일하고 있으며 인터넷이 어떻게 예술을 변화시켰는가를 추적하는 '챗룸' 프로젝트를 진행하고 있다.


## 김신우

프로듀서. 페스티벌 봄, 부산국제영화제, 국립아시아문화전당 예술극장, 국립현대미술관 다원예술 프로젝트에서 프로그래밍 어시스턴트와 프로듀서로 일했다. 현재 옵/신 페스티벌의 총괄 프로듀서이자 통번역가로 활동하고 있다.

김성희, 김신우, 김하연, 김황, 남정현, 노경애, 로이스 응, 마텐 스팽베르크,
메테 에드바르센, 방혜진, 서동진, 서현석, 요우미, 응우옌민, 이경미, 이경후,
이한범, 허명진, 호루이안, 호추니엔, 황수현 지음

초판 1쇄 발행 2021년 2월 26일

발행 작업실유령
편집 김신우, 박활성
디자인 슬기와 민
제작 으뜸 프로세스

스펙터 프레스
16224 경기도 수원시 영통구 대학로 109 (202호)
specterpress.com

워크룸 프레스
03043 서울시 종로구 자하문로16길 4, 2층
workroompress.kr

문의
전화 02-6013-3246 팩스 02-725-3248
workroom-specter.com
info@workroom-specter.com

ISBN 979-11-89356-48-4 04600 / 979-11-89356-47-7 (세트)
값 12,000원

그들은 야생에 있었다

마텐 스팽베르크 지음

이경후 옮김

# 그들은 야생에 있었다

작업실유령

이 책은 옵/신 페스티벌 2020의 일환으로
온라인에서 연재된 마텐 스팽베르크의 수행적 글쓰기
「그들은 야생에 있었다」를 엮은 책이다.

연재 페이지:

https://www.notion.so/f8dcfd5ead8443819d8352a5315e4e8f

# 차례

「그들은 야생에 있었다」는 '춤과 함께하기', '떨어져 있지만 함께하기'의 또 다른 방식으로, 춤과 예술이 할 수 있는 일, 예술과 생태계, 예술이 기술로 매개되는 현상 등에 관한 성찰과 단상이 담긴 수행적 글쓰기다. 옵/신 페스티벌 2020 기간 동안 쓰인 이 글들은 처음부터 끝까지 오직 한국어로만 공개되며, 이로써 오늘날 국제 무용 현장에서 작동하는 위계를 재고한다.

## 2020년 10월 10일
## 나는 극장이 좋다

나는 극장이 좋다. 극장은 층계도 아주 멋지고, 아티스트 출입구는 침울한 느낌을 주는 경우가 거의 없다. 그 건물 말이다. 극장은 내부도 예쁘다. 특히 리노베이션을 여러 번 과하게 거쳐 비상시 인명 구조를 위한 IT 시스템도 갖추고 여기저기 알 수 없는 장소로 사람들을 데려다 놓는, 어떻게 저런 곳에 만들었을까 싶은 엘리베이터들이 설치된 후에는 더욱 그렇다.

극장은 안에서 일하기에 멋진 곳이다. 다정한 배우, 무용수, 연주자, 의상 팀 무리들, 하우스 매니저 팀, 그 외 모든 사람들까지. 무대와 관계없는 일을 담당하면서도 여전히 그곳, 극장 안에서 일하는 사람들까지. 그런 생각을 하면 기분이 아주 좋아진다.

극장은 갈등과 마찰이 있기에 훌륭한 곳이다. 그런 업무 공간이 또 어디에 있는가? 공공 영역과 미디어 쪽으로 뻗어 나가는 분야일수록 더욱 없지 않은가?

극장은 최적화 실패의 탁월한 사례다. 이런저런 활동과 물건, 역사로 꽉 찬 평방미터 옆에는, 있다는 것도 까먹을 지경으로 드물게 사용하는 거대 구역들이 있다. 구내식당이 이렇게 완벽한 곳도 극장밖에 없다. 큰 극장일수록 구내식당은 더 좋다. 극장이 존재하는 한, 복지도 완전히 죽은 것은 아니게 된다.

내가 배달 회사에서 일하는 사람이라면 어떻게 해서든 극장에 배달을 가려고 할 것이다. 아, 그리고 방문증을 받았을 때 극장만큼 기분이 좋은 곳도 없다.

극장은 환상적이다. 극장은 단순히 건물이 아니다. 극장은 그 안에 있는 어떤 활동이다. 사실 공연이기만 하다면 그 활동이 무엇인지, 괜찮은지 아닌지도 중요하지 않지만 극의 장이 사라진다면 그 건물 또한 그 멋진 빛깔을, 그 파워를, 그 필연성을 잃어버리고 만다. 그거면 나에겐 충분한 이유다.

*

나는 극장이 좋다. 극장에 갈 준비를 할 때보다 기분 좋은 때가 있나? 티켓을 살 때, 특히 두 장을 살 때. 막이 올라가기도 전에 마시게 될 맛없는 샴페인 한 잔이 벌써부터 기대되고. 공연이 지나치게 길고 아마도 퍽 지루할 것이며 우리가 이미 너무, 이미 지나치게 겪어 본 이런저런 갈등을 반복할 것임을 또 알고. 깜깜해진 객석에서 아무것도 내 마음대로 하지 못한 채 꼼짝없이 앉아 있는 것도 멋지다. 극장에서는 불을 끈다. 신자유주의 안에 그런 곳이 또 어디 있겠는가? 극장은 멀티태스킹을 모르는 곳이다. 한번 생각해 보라, 몇 시간 동안 자리에 앉아, 앉는 것 말고는 하지 않는 곳이 극장 말고 또 어디에 있을까? 이 세상엔 자유가 너무 넘쳐나서 나는 그게 자극이나 재미, 설렘을 줄 거라는 기대조차 하지 않는다. 극장은 참으로 잘 보낸 시간 낭비다. 마음에 맞고, 정보의 흐름도 무척 조심스럽고 드문드문하다. 영상이 조금 과한 편인 것 같기도 하지만 그 외에는 사용자 경험에 완벽하게 무관심하다.

사회적인 상황으로서의 극장은 멋짐 그 자체다. 너무 놀라워서 무대 위의 구체적인 상황은 딱히 중요하지 않다. 극장, 공연이기만 하다면 그 사회적 측면은 잘못될 수가 없다, 우리는 그곳에 함께 있는 거니까. 영화관이나 미술관 같은 함께가 아니라 진짜 함께. 이따금씩 공연 예술이 갖는 이 사회적인 측면을 자칫 사회적인 작품과 혼동하게 되는 유혹도 오지만, 우리도 알다시피 실천과 재현 사이에는 꽤 큰 차이가 있다. 가끔은 사회적으로 너무 강도 높게 개입한 나머지 재현과 실천 간의 장벽이 무너진 적도 있었다. 하지만 이런 순간은 절대 사전에 연습되어서는 안 된다. 그러면 순수한 개입이 아닌 단순한 속임수로 변질될 테니까. 사회적인 틀로서의 극장은 요즘 사회에서 그 자체로 일종의 행동주의다. 다만 질문은 정치성이 행동주의 이전에 오는가 이후에 오는가, 그리고 여러 입장들이 예측하는 균질화는 어떤 모습들인가 하는 것이다.

극장이 대단한 이유는 그 앞에 서서 셀카를 찍으라고 권유하지 않기 때문이다. 극의 장은 고집스럽게 우리와 마주하려 한다. 극장은 어떤 것이든 절대 중립적이지 않다. 좋거나 나쁘거나, 정치적이거나 정치적이고 싶어 하거나, 신선하거나 칙칙하거나, 크거나 작거나 할 수는 있지만 중립에는 실패한다. 나는 극장의 이런 점이 정말 좋다. 이거면 나에겐 충분한 이유라고 생각한다.

극장이 경이로운 건 결과가 보장되지 않기 때문이다. 사람들이 이렇게 환불 요청을 하는 곳이 또 어디 있겠는가? '자, 식사 나왔습니다' 하듯 온전하고 물 샐 틈 없는 체험을 약속할 수 없는 제도가 아직도 존재한다니 환상적이지 않은가? 게르하르트 리히터의 회고전은 한 번도 어긋나 본 적이 없고, 현대자동차가 후원한 테이트 모던 터빈홀의 행사가 관객의 야유를 받지도 않는다. 극장에서는 고전이라도 엎어질 수 있고, 실제로 그런 일이 반복된다. 하지만 피카소 전시가 망했다는 얘기를 들어 본 사람이 있을까? 피카소에 관해서라면 모든 게 합의에 이르고 자리를 잡았지만 셰익스피어는 아직도 골칫덩어리고, 앞으로도 얼마든지 그렇게 될 수 있다. 예술을 다루는 문화 제도 중에 이 리스크를, 아니 어떤 리스크라도 여태 제거하지 않고 둔 제도가 또 있는가?

극장은 어마어마하다. 우리는 극의 장은 그저 극의 장으로 내버려 둬야만 한다는 사실, 거기에 자꾸 이유를 들이대면 안 된다는 점만 기억하면 된다. 이유를 갖다 붙이려 하면, 극장은 빠르게 극장이기를 멈추고 예술이기를 멈춘다. 가까스로 문화 정도는 될 수 있겠지만 대개는 가르침이나 경영으로 변하고 만다. 그렇게 되면 권력의 수단이 되어 개방성을 잃고 해방의 잠재성도 사라진다.

그런데 책임은 어떻게 하나? 극장의 노동자와 창작자에게는 우리를 둘러싼 세계에 응답해야 할 윤리적 요청이 있지 않나? 물론 노동자와 창작자에게는 있다. 그런데 그 책임은 공연이 하나의 예술 형식으로서 갖는 책임과는 좀 다르다. 우리는 예술이 도구가 되지 않게, 우리 자신의 연장선이나 의족이 되지 않게 조심해야 한다. 역설처럼 들릴지 모르지만, 위기와 난관의 시기에는 극장을 극장으로 내버려 두는 것이 더욱더 중요할 것 같다. 어쩌면 2020년 가을이라는 이 시기야말로 우리의 체험을 특정 방향으로 유도하지 않는 공간, 생각할 거리를 지정하지 않는 공간, 무엇이 적절한 의견인지 규정하지 않는 공간이 절실히 요구되는 그런 시기일지 모른다. 그 형태는 익숙할지 모르나 그에 관한 체험은 계속해서 열린 상태로, 미정된 상태로, 생성적인 것으로 남아 있는 공간 말이다.

그거라면, 나는 충분한 이유가 된다고 생각한다. 언제나.

## 2020년 10월 11일
## 무엇이든 허용될 때

무엇이든 춤이 될 수 있는 거라면 어째서 이토록 많은 사람들이 최소한의 춤으로 춤을 만들려고 애를 쓰는 걸까? 왜 무용에 전념하는 동시에 춤을 전적으로 회피하려 하는 걸까?

만약 춤에 여러 이슈가 있을 수 있고 춤을 둘러싼 장벽이 많다고 한다면(나도 이해한다) 그런 것을 뛰어넘고 건너뛰고 무너뜨리는 것이 중요하겠지만 시대는 벌써 2020년이다! 안무가와 춤 창작자들은 무엇을 증명하려 하는 것일까?

모든 문이 활짝 열린 상태라면 왜 굳이 벽을 향해 달려드는가 싶을 수도 있고, 뭐든 마음대로 해도 되는 상황이라면 그때부터는 이것이냐 저것이냐보다 방식의 문제가 된다고 생각할 수도 있겠다. 차이가 언제나 상대적인 거(포스트모더니즘)라면 뭔가를 '깨고 나온다'는 행위도 매력을 잃어버린다. 모든 게 가능한 시기라는 건 어쩌면 아방가르드의 장광설이 아닌 또 다른 만트라에 귀 기울여야 할 때, 또 '지각 변동'을 일으키려 하기보다(그 자체로 이것은 날려 버린 기회의 긴 자취를 남긴다) 다양한 예술 생태계에 집중해야 할 때인지도 모른다. 채굴식 자본주의와 똑같은 공식에 기반하지 않는 생태계.

아방가르드가 만약 틀을 벗어난 사고를 하는 진짜 이유를 덮기 위한 연막에 불과하다면 어떨까? 담장을 걷어 내고 미개척지에 발을 디디는 일은 궁극적으로 사려 깊은 자원 공유나 재생 에너지, 환경의 구축보다는 무자비한 채굴식 자본주의와 훨씬 더 연관이 깊다. 예술사와 무용사가 승인해 온 전위적인 순간들은 사실 포화된 시장, 영토, 담론이 옆으로 터져 나오면서 소유권 주장이 가능한 새 영토를 열어 준 순간이라고도 할 수 있지 않겠는가.

관습적인 시장이 경쟁을 권할 때 (최고의 상품이여, 성공하기를) 예술 시장은 당연히 이에 참여하지 않는다. 예술적 전위는 그보다 영토 주장과 관련이 있다. 일종의 식민주의적 행동으로서 "내가 제일 먼저 발을 디뎠다"고 하는 것인데, 이는 그 어떤 교환도, 그 어떤 공동의 발전도 묵살해 버리는 행위다. 예술가는 이때 표현 방식이나 장르와 관계없이 여러 개의 독점을 생성하며, 그 예술가가 판매하는 것은 이전 독점에서 생겨난 지분이다. 사실 여러 개의 독점이 아니라 단일한 독점이다. 예술에는 다수의 독점을 보호해 줄 주체들이 없고, 예술가의 시간은 대부분 자신의 창작물을 살피는 데 쓰인다. 마치 골룸과도 비슷한 예술가.

그러나 이 장악력 게임에서 예술가의 입장이 무엇인지가 조금 의심스럽다. 기업이라고 치면 예술가는 R&D나 이노베이션에 가까울까? 그렇다면 큐레이터, 프로그래머 등은 주식 브로커나 투자 은행가와 비슷해지지 않을까?

예술과 전위의 연계성이 종료되었다는 합의에 이르기 시작한 시기는 신기하게도 신자유주의 자본주의의 탄생과 어느 정도 맞물린다. 이를테면 초반에는 사실 별로 잘 팔리지도 않았던 데이비드 보위의 앨범 『헝키 도리』(Hunky Dory)가 발표됐던 1971년 12월 17일.

하지만 사실 문제는 이거다. 전위적인 태도가 아무리 폭력적, 남성적, 백인 중심적, 식민주의적, 자본주의적이라 할지라도 이 과업, 이 목표, 이 관심은 최소한 (물론 그렇다고 변명이 되는 건 아니지만) 하나의 매체, 표현, 성격, 접근법을 둘러싼 것이긴 했었다는 점. 무언가를 향한 열정이자, 반쯤은 광기를 띠고 자아 바깥에 있는 대상에 천착하는 일이었다. 매체는 부서져야 했고 형식은 탕진되어야 했으며 표준과 규범은 무슨 일이 있어도 산산조각 나야 했다. 그 대가는 컸을 것이고, 낭만적이었을지는 모르나 하나의 약속 또한 존재했다. 지각 변동을 이뤄 내지 못하는 것은 스스로를, 예술 공동체를, 심지어 예술 자체를 배신하는 일이라는 약속. 아방가르드는 하나의 이념이었다. 물론 (대개 그 의미를 함께 지녔겠지만) 정치적인 의미의 이념이 아니다. 여기서 말하는 이념은 예술을 향한 것이다. 그것은 어떤 집념, 신념이 이끄는 무조건성이었다. 게다가 이념은 정치와 같지 않다. 정치가 온통 협상의 문제가 될 때, 오히려 이념은 굳세게 남아 차라리 죽어 버릴 수도 있다. 그러므로 실천되는 이념이라는 건 언제나 정치적인 반면, 정치는 이념 없이도 펼쳐질 수 있고 그런 척이라도 할 수 있다. 실제로 신자유주의 경제와 통치는 끊임없이 탈선을 발생시킴으로써, 자기 저변의 구조들은 정작 윤리적으로 아주 제대로 된 최상품이라는 착각 속에 살아가도록 한다. 정치에서는 그 무엇이든, 언제라도, 아무거나 될 수가 있고 모든 문이 열려 있으니까 말이다. 하지만 잠깐, 그 말은 곧 정치적 노선이라는 것에 근거란 없고 모든 게 주관적이라는 뜻인가? 무엇이든 가능하고 뭐가 뭔지도 상관이 없다면 나의 정치 노선을 누군가의 드레스코드나 향수 취향 정도에 맞춰도 되는 건가? 이념이 물질과 실제성을 다룬다면 정치에서는 겉모습만 중요하며, 그러면 당연히 이념은 지정학 및 존재 형식들과

뭉치게 된다. 정작 정치는 생명정치와 화장실을 같이 쓰고, 실존의 자리에 수행성을 갖다 놓았는데.

　서구 미학의 지배적 규범은 예술이 이 세계에 뭔가를 가져다준다고 말한다. 존재하지만 짚어 낼 순 없는 '무언가'를. 그걸 포착할 수 있는 앱 같은 것은 없으나 분명 존재한다. 실제로, 그러나 재생산은 불가능하게. 이것은 역사 속에서 여러 이름으로 불렸다. 포이에시스, 독창성, 자율성, 천재성, 모호한 것, 미지의 것 등 이름은 많았고 수많은 사람들의 귀가 두 번씩은 닳아 떨어질 만큼 논의되었다. 이 주제는 1735년 이래로, 그게 아니라도 아주 오래 전부터 철학의 골칫거리로 남아 있다. 예술이라는 관념 자체를 건드리지 않으면서, 또 예술을 '신의 은총'이나 초월, 불멸의 미로 승격시키지 않으면서 미적 감상을 논하거나 규정하는 방법은 무엇일까?

　이보다 조금 드물게 언급되는 질문은 이것이다. 그 '무언가'가 어디에 위치하는가, 그 천재성이 어디에 자리하는가. 작품 내부에 있는가, 아니면 예술가 안에 있는가.

　오늘날 예술에서 한 가지 크나큰 문제는, 1970년대 초에는 축복으로 여겨지다가—개인적인 것이 정치적인 것이다—금세 저주가 되어 버린(것이라고 나는 생각하는) 문제인데, 이른바 작품을 향한 관심이 점차 흐려지고 예술가 쪽으로 치우치게 된 것이다. 물론 그 예술가가 아니었다면, 그 예술가가 거친 과정이 아니었다면 그 '무언가'가 탄생하지 못했을 것이다. 그러나 작품을 가리키는 손가락과, 그곳을 넘어 작품과 조우한 누군가를 가리키는 손가락은 엄청나게 다른 것이다. 이것이 부메랑처럼 예술가에게 되돌아오는 기능을 한다고 할 수도 있겠다. 그럼으로써 예술가를 어떤 신비로운 힘에 의해 선택된 자로 승격시키는 것이다. 이 '무언가'를 어디에 위치시키느냐 하는 문제는 당신과 내가 마음먹기에 달려 있다. 우리가 믿는 것은 예술 작품이라는 예술인가, 예술가라는 예술인가?

이른바 예술과 예술 세계들은 여타 세계들의 발전이나 조건과 대응하는데, 그렇다면 분명한 것은 오늘날 이 '무언가'는 예술가 안에 존재한다는 것, 그리고 작품은 부차적인 것으로서 그 사람의 주체성 다음에 온다는 점이다. 또 그렇기 때문에 동시대 예술가는 하나의 정치 형식을 분명하게 표현해야 하는 것이지만 이 정치는 이념이 결여된 채 오로지 겉모습을 중심으로 구성되어 있다.

결론에 이르기 전에 하나만 상기하자면, 이런 추세는 전혀 특이할 게 없다. 오히려, 여타 경제 구도와 마찬가지로 예술 안에서도 한때 상품으로 이해됐던 것들(회화, 조각 등)이 이제는 설치나 퍼포먼스도 모자라 예술가라는 주체까지 아우르게 되었다. 사실을 말하자면, 진짜배기는 바로 거기에 있다. 주체성이야말로 최상의 산물이다. 정치가 지배력을 쥐고 이념은 대체로 대상이 되는 한 더더욱 그렇다.

그러니 굳이 최소한의 춤으로 춤을 만들 이유가 있을까. 하긴, 다른 방법이라고 또 뭐가 있겠나? 춤이 조금이라도 '관습적'이다, 명료하다, 발전되었다, 복잡하다는 낌새가 있으면 예술가에게는 내 작업이 내 주체성을 넘어설 위험이 생기니까 말이다. 그렇게 되는 순간 예술의 그 '무언가'는 주체로부터 빠져나와 작품 안으로 들어가 버릴 텐데? 요즘 안무가들이 안무가나 창작자로 인식되기 위해 대부분 무대에 꼭 올라가는 이유 가운데 하나가 바로 이것이다. 더불어 춤 창작자가 자신의 실천을 솔로로 선보일 수 없는 이유이기도 하다. 주체와 분리되어 그 외부에 있는 작업이 아니라 창작자 '내부'에 있는 실천은 안 된다. 오늘날 무용 작품의 의상이 그 무용수/안무가 개인이 평소에 차려입었을 때와 거의 똑같아지는 이유도 마찬가지다. 의상 또한 그 주체를 확인해 주어야만 하는 것이다.

모든 것이 가능해진 상황에서 진짜 어려운 과제는 대피를 하거나 버리고 떠나는 게 아니라 반대로 그 한복판에, 마치 이번이 처음인 것처럼 남아 속도를 바꾸는 일이다. 고집스럽게 그곳에 발을 붙인 채 '지금 여기'를 일궈 내면서 우리에게 주어진, 우리가 몰두하는, 우리가 천착하지 않을 수 없는 그 조건들, 그 환경의 생태계들을 바꾸는 일 말이다.


## 2020년 10월 12일
## 커닝햄의 역설


"내가 춤출 때 나는 춤을 출 뿐 그 이상은 아무것도 없다"는 이 문장은 다양한 이유로 무용계를 사로잡았던 머스 커닝햄의 슬로건과 언설 가운데 하나였다. 이 말은 언뜻 모더니즘의 허튼소리로 느껴질 수도 있다. 춤에 고유한 본질이 있다는 의미로 이해될 수도 있고, 그 자체로 어떤 실체인 춤이, 자기 지시성과 매체 특정성을 영웅주의처럼 승격시켜 놓은 근대 회화와 상통하며 결탁한다는 말로 이해될 수도 있다. 마치 진정한 영웅은 자신의 입지를 굳이 내세우거나 현현할 필요 없다는 듯 소극적 제스처나 부정의 제스처로 드러내기도 하는 영웅주의. 다른 한편으로 보자면, 관념적이고 미니멀한 특정 실천들이 사실은 견고한 이분법 및 정체성에 관한 헤게모니를 쥔 지배적 재현 체제 탈피 전략이라는 독해도 가능한데, 어쩌면 필수적인 독해일 수도 있다.

머스 커닝햄은 인터뷰에서 몇 번 자신이 추상적이고 요행적인 절차들을 선택한 것은 영웅적인 불가촉 남성 주체를 표현하지 않으면서도 맨해튼의 (좀 보수적이기도 하고 그런) 업타운 무용계에 '끼기 위한' 수단이었다는 식의 발언을 한 적이 있다. 이러나저러나 작업의 드라마투르기적 얼개를 끌어내기 위해 우연적 작동을 활용하거나 주역에 의지하는 것은 분명, 남성적 힘과 '절대적' 통제의 가치를 드높이는 아리스토텔레스적 극적 긴장 및 제약적인 구성 형식들을 향해 엿을 날리는 행위다.

변형 의식 상태를 유발하는 (LSD, 피요트, 머시룸 등의) 마약들이 대중적으로 퍼지면서 두 가지 가설이 나타났다. 그중에 더 잘 먹혔던 입장은 마약이 현실의 증강 체험을 창출하고 오감을 확장하여 우리 의식 안에 감춰진 영역에 닿도록 한다는 것이었다. 환각 상태는 이른바 진정한 자아에 접속하게 해 주고 주체를 풍부하게 만들었다. 반면 두 번째는 이런 마약이 주체의 일시적 소멸, 자아의 소거를 통하여 나를 나로서 체험하는 일, 이른바 '그 이상은 아무것도 없이' 나를 체험하는 일을 가능케 한다는 것이었다. 어쩌면 이를 인간 주체성 및 기타 주체성이 결여된 실존 체험이라 할 수도 있을 것이다. 필터 없는 세계, 심지어 세계 자체가 존재하지 않는 세계. 체험의 체험이랄까, 혹은 오로지 체험뿐.

커닝햄의 인생 동반자가 세계적인 버섯 전문가였다는 사실에 너무 흥분하지 말고, 글 첫머리의 문장은 사람이 춤을 출 때 일종의 변형 의식 상태에 진입하게 된다는 넓은 의미임을 생각해 보자. 제2의 시선에 접촉한 상태, 자아의 소멸. 안 그러면 이 문장은 자칫 '춤을 출 때면 눈앞에 굉장한 색깔들이 보인다'와 비슷한 말이 됐을 것이다.

그렇다면 커닝햄은 자아 인식을 얻거나 진정한 자아를 찾는 수단으로서의 춤보다는(이는 70년대 초부터 중심적인 개념이었다) 나를 완전히 놓아 버릴 가능성을 믿는 것 같다. 말하자면 춤에 나를 맡기는 것. 주체성이나 관계성, 권력의 경계선에 제한받지 않는 공간과 시간.

무용에서 자각/인식 및 관계성을 선호하는 경향은 약 50년 전에 확립되었는데 그 기본 출발점은 바로 책임 있는 자유다. 개인은 자각 훈련을 하고 책임에 관한 합의점들을 도출해 이러한 기술로 창조적 선택과 새로운 경로를 발견해 낸다는 입장이다. 멋지기도 하고 유용하기도 하겠지만 이것은 커닝햄과 아주 정반대의 방향으로 가지 않는가. 인식의 성전 안에서 우리는 스스로를 단련한다. 우리가 가진 장치들을 절대 내려놓지 않도록, 자아를 향한 시선을 절대 놓치지 않도록, 우리가 속속들이 이해했고 빠져나올 방법마저 알고 있는 미지가 아닌 진짜 미지에는 절대로 다다르지 않도록. 인식은 나를 자유롭게 하는 수단이지만 그 안에는 내 선택, 그리고 그 선택이 세상에 미칠 결과를 완벽하게 장악한다는 기쁨이 함의되어 있다. 반면 커닝햄의 경우는 인식과 책임을 내려놓고 오로지 춤만을 추면서, 그 춤이 나 대신 그 책무를 질 거라 믿는 것이 핵심이다. 따라서 이것은 나 자신을 자유케 하는 문제, 특히 이런저런 대상으로부터 자유로워지는 문제가 아니라 자유의 체험에 관한 문제다. 잘 알다시피 덧없고 결코 포착되지 않는 그 체험.

몇 가지 전략을 들여다보면 이 긴장은 더욱 흥미로워진다. 무용에서 널리 통용되는 모티프 하나는 즉흥이 무용수와 그 무용수의 주체에 자유의 감각을 선사한다는 것이다. 즉흥하는 댄서는 안무가의 명령이나 특정 무용 테크닉의 '규율'에서 해방됨으로써 자아를 표현할 수 있게 된다. 충분히 납득은 가지만 이런 형태의 자유는 무용수에게 매 순간 가능한 선택, 불가능한 선택, 가능한 결과, 불가능한 결과를 하나하나 빠짐없이 고려하라고 압박하는 자유 아닌가? 그러니까 이 인식이라는 말에는, 정말 매 순간마다 무엇이 '좋은' 결정인지 알고 최적의 결과를 내는 능력이 함축돼 있는 것이다. 따라서 무용에서 즉흥은 사실상 자유와는 거의 관계가 없고 차라리 관리, 통제의 체험과 연결된다. 여기서 커닝햄은 정반대의 방향으로 움직이는 것 같다. 그는 즉흥 대신 정확한 규칙 모음을 구축하고, 춤에 관해 기술적으로 꽤 팍팍한 이해법을 확립한다. 그런데 이 팍팍함이 의사 결정 따위에 사로잡힌 무용수를 오히려 풀어 주는 기능을 하면서, 의식 상태에서 빠져나와 주체 혹은 존재가 오롯이 춤에만 몰두하게 해 주는 춤을 추구한다는 게 있을 수 있는 일일까.

즉흥은 자유에서 시작하여 갖가지 책임을 끝도 없이 쌓아 올린다. 언제나 좀 모호한 합의들에 기반한 듯한 책임마저 쌓아 올리는데(안 그러면 자유라고 가정된 이 상태가 곤경에 처할 수 있다) 여기서 커닝햄이 조건들을 뒤집는다. 그 시작은 개인의 책임뿐 아니라 비-책임 또한 제거시키는 견고한 '시스템'이다. 조금 추상적으로 표현해 보자면 즉흥은 다소 애매한, '존재하지 않는' 구조들에 전략적인 경향이 있고 커닝햄의 개념은 오히려 모든 것에 열려 있는 튼튼한 구조들, 전략의 교착 상태를 떨쳐 버리는 구조들을 제시한다. 예술관의 정치적 층위에서 보자면 이런 의미다. 커닝햄은 형이상학과 영성을 바라보는 마르크스주의자이며, 즉흥은 조금 단정적으로 말하면 애틋한 포퓰리즘 쪽으로 치우친 신자유주의다.

또 다른 렌즈로 보면 즉흥은 자유와 인식, 책임의 의미를 포괄적으로 이해하면서 우리가 보다 능숙하게 인간으로 사는 연습, 혹은 더 나은 인간이 되는 연습을 하는 수단이라고도 할 수 있겠다. 즉흥은 인간이 된다는 것의 의미를 균질화하고 권력의 헤게모니들을 강화한다. 내가 책임 있는 결정을 내리는 한 나는 내가 원하는 대로 뭐든 하고 뭐든 될 수 있지만 거기에는 우리가 합의한 관습과 규범에 순종해야 한다는 조건이 있다. 그 규범은 과연 누구의 규범인 걸까?

즉흥은 인간적이고 도덕주의적이다. 반면에 커닝햄은 철저하게 다른 방식으로 인간되기를 실천할 수 있는 가능성, 평가를 위한 전제 조건 혹은 그럴 의향 없이 이를 실천할 수 있는 가능성을 위해 불변의 구조를 제시한다. 그러니까 "내가 춤출 때 나는 춤을 출 뿐 그 이상은 아무것도 없다"는 말은 곧 도덕주의와 잠재성을 맞바꾼 포스트휴먼적 실천이다.

머스 커닝햄이 했던 유명한 말이 또 하나 있는데, 춤은 우리에게 뭘 되돌려주지도 않고 아무것도 보장하지 않으며 창작자에게 불멸을 선사할 만한 것도 만들어 내지 못한다고 불평하는 내용이다. "주는 것이라곤 살아 있음을 느끼는 찰나의 순간 딱 하나뿐"이라고 끝을 맺는다. 그런데 여기서 중요한 관점을 하나 살펴야겠다. 살아 있다는 말이 무슨 뜻인가? 잠에서 깨어 오늘을 살 준비가 됐다는, 내 개별적인 삶에서 상쾌한 시작을 맞는 그런 마음인가, 아니면 삶 자체—그러니까 이 거대한 삶과 생명 그 전체와 자체에 대한 체험을 말하는 건가? "내가 춤출 때 나는 춤을 출 뿐"이라는 과제에 임하는 이에게 그것은, 춤을 추는 우리가 잘 알다시피 그 거대한 삶 이외에 다른 것을 의미할 수는 없을 것이다.


## 2020년 10월 13일
## 공공장소 1

최근 공공장소를 둘러싸고 뭔가 기묘한 움직임, 새롭고 색다른 현상이 일어나고 있다. 지난 몇 달 동안 공공장소와 이동이라는 문제는 특히 정부가 시행한 규제들로 인해 몇 가지 새로운 측면을 띠게 되었다. 그 지침들은 공공장소가 무엇인지에 대한, 그리고 그것이 민주주의적인 삶과 정치적인 삶에 어떤 의미인지에 대한 이해에 가늠하기 힘든 장기적 영향을 미치게 될 것이다.

한동안 공공장소는 굉장히 핫한 주제였다. 특히 도시에서 소외, 방치됐거나 위험한 지역의 재활성화, 그리고 이와 긴장 관계에 있는 젠트리피케이션 및 민영화를 향한 전반적 추세와 관련해서 더욱 그러했다. 예술과 예술가들은 대개 기업적인 젠트리피케이션 사업의 시발점이 되어 버리곤 했던 회색 지대를 찾아내는 데 '이용'되었다.

공공장소를 옹호하는 핵심 주장은, 실제로 훌륭한 주장이기도 한데 공공장소가 활발한 정치적 삶, 다양한 형태의 정치적 징후에 개입할 기회, 또 정치 정보를 확산할 기회에 있어 필수적이라는 입장이다. 나아가 공공장소 보호가 절대적으로 필요한 이유는 다양한 개인과 집단, 모두의 접근을 보장하기 때문이다. 물론 우리 모두 알다시피 이것은 사실과 다르지만, 공공장소가 없다면 이런 주장을 펼칠 수 있는 공간 자체가 없어지게 된다.

또한, 오늘날의 공공장소는 충분히 공적이지 못하다. 공공장소는 언제나 통치하에 있는데 이것은 명백한 권력에 의한 것일 때도 있지만, 아무도 설명하지 못하는 듯한 은밀한 프로토콜의 지배를 받는 일도 그만큼 잦다. 아마 과거 어느 시점에는 진정한 공공장소, 그 어떤 법이나 규범에도 종속되지 않는 공간이 있었을 것이다. 현대에 좀 더 가까운 사회에서도 그런 공간을 볼 수 있긴 하나 좀 더 망가진 상태로 드러난다. 예컨대 신분증명이나 주소지가 없는 개인, 거대한 난민이나 이주자 집단은 법이 지켜 줄 수 없는 삶을 영위한다. 공공장소는 한편으로 다양한 목소리가 그 관객을 얻을 수 있는 공간이면서도 극단적인 폭력이 가능한 공간이라는 점에서 복잡한 문제다. 역설적으로, 바로 이 복잡성 때문에 공공장소는 지켜져야 하는 것이다. 당연히 이것은 폭력에 대한 변호가 아니라, 감시 혹은 기타 통제술이 닿지 않는 공간에 대한 옹호로서다.

실제성은 덜하지만 예리하게 공공장소의 필요성을 지지하는 근거들은, 대안적 형태의 픽션들이 증식할 수 있는 공간이 중요하다는 점을 역설한다. 이것은 우리가 수호해야 할 실제 장소들이다. 극장, 도서관, 미술관, 광장, 보도, 공원, 그 외의 공용 공간들. 내가 볼 때 오늘날 우리가 살아가는 정치적 현실에서는 이런 공간이 정치인들에 의해, 그리고 일반 대중에 의해서도 특히 SNS를 통해 주기적으로 확실한 제재, 검열, 압박을 받는 것 같다. 도서관들은 어느 문학 작품을 구매해야 하는지를 명료하게 지시한 정책 공문들을 받는다. 극장 역시 정치적으로 복합적인 작업을 선보일 때면 포퓰리스트 언론의 위협을 받을 때가 많고, 더 나쁜 경우는 적은 수의 관객만이 접하는 실험 예술을 지원한다고 공격을 받을 때다.

　도서관, 극장, 대학, 미술관, 박물관이 (항상 진정한 공공장소로 인정받지는 않는다 해도) 극한의 중요성을 띠는 이유는 그 프로그램이나 서적, 전시 때문만이 아니라 이들이 약속하는 바 때문이다. 이 장소들은 그 안에 주체적인 사상, 대안적 서사와 억압된 자들의 역사, 절대 잘될 리 없겠지만 그럼에도 기여하는 바가 있는 픽션들, 독특한 형태의 주의력을 강력히 요청하는 사운드와 이미지, 이 세계들을 자라게 할 이야기를 들려주는 소리와 이미지들에 대한 약속을 품고 있다.

　우리가 너무도 당연시해 온 이 공간들이 사라지고 나면, 그 공간이 죽거나 소멸하는 순간 이를 되살리는 데는 크나큰 노력이 든다는 걸 잊어서는 안 된다. 이런 공간이 존재하는 이유는 개인이, 집단이, 사람들이 이를 투쟁으로 얻어냈기 때문이고 그 과정에서 희생된 목숨이 적지 않았음을 우리는 잊어서는 안 된다. 그런 투쟁은 특정한 자유나 해방이 목표가 아니라 자유의 가능성, 그냥 어떤 불특정 자유의 가능성을 위한 것이기에 특히나 힘든 싸움이다. 우리가 인식조차, 고려조차 못 할 수도 있는 자유, 상상조차 안 되는 자유, 실없어 보이는 자유의 가능성을 위한 것이기에. 바로 이런 자유를 우리는 지켜 내야 하며, 그 점에 의문을 제기해서도 안 된다. 절대로 안 된다. 왜일까?

　실제적이든 은유적이든 공공장소를 정의할 수 있는 건 소유할 수 없다는 사실이다. 내가 시간을 보내는 공원, 앉아서 책을 읽는 벤치, 이웃과 동네의 정치적 이슈를 이야기하는 도로는 도시의 소유이고 결국은 정부가 그 청결과 안전성을 보장할 책임을 안고 있다. 하지만 적어도 형식적으로는 정부가 곧 사람들이라는 것을 상기하자. 우리가 곧 공화국이고 공원은 우리 모두의 것이다.

공공장소는 우리의 것이지만 그걸 작은 조각으로 쪼개 하나씩 집에 가져갈 수 있는 건 아니다. 공공장소는 소유권이라는 개념에서 물러나 있으며, 공공장소가 특별한 무언가를 선사할 수 있는 것이 바로 그 제스처를 통해서이다. 그 안에서 발생, 사고, 감각, 체험되는 것 또한 공공의 것으로서 내가 집에 가져가거나 사유화할 수 없기 때문이다. 완전히 다른 무언가로 변형을 시키면 다를 수도 있다. 이런 과정의 사유화는 나쁜 게 아니다. 오히려 여기에는 지식에 의문을 제기하고 변혁을 가하는 과정이 함의되어 있다. 공공장소가 창출하는 것이 바로 공적인 형태의 지식, 소유할 수 없는 지식이기 때문이다. 그렇다면 이런 사유화의 과정, 그런 지식을 내 것으로 만드는 그 과정은 나를 변혁하는 만큼이나 그 지식 자체를 변혁한다는 뜻이다.

공공장소의 복잡한 부작용이 하나 있다. 우리가 공공장소 자체나 그 안에서 발생하는 지식이나 체험을 전혀 소유할 수 없다는 바로 그 이유 때문에, 효율성이나 재정 수입과 관련한 측량 역시 없어야만 공공장소의 공적 역량이 유지된다는 점이다. 모든 측량 기술은 민영화와 소유권의 불가피성을 위한 프로토콜만을 제공할 뿐이다. 공원, 해변, 잔디밭은 분명 유익한 것이지만, 그걸 어떤 용도나 가치의 최적화를 위해서 '설계'할 수는 없다. 공공장소는 근본적으로 무용한 것이지만 무용한 만큼 그 무엇이든 담아낼 수 있기에 공원에서 벌어질 수 있는 일에는 한계가 없다. 방향성을 부여할 수도 없고 유용해질 수도 없기 때문에 완전히 새로운 생각과 상황을 발생시킬 잠재력을 갖는다. 사유화된 공간에는 활동 등에 관한 여러 개연성이 뒤따르지만 공공장소는 '만일의 경우', 즉 완전히 이질적인 대상을 포함하는 '아무거나'를 옹호한다.

어쩌면 공공장소와 예술을 연결해 주는 무언가가 있을지 모른다. 물론 공공장소에서의 예술은 강력한 프레임을 생성해 버리기도 하고 우리가 극장이나 미술관, 콘서트홀, 비슷하게는 쇼핑몰 같은 제도 속에서 익혀 온 프로토콜이나 계약을 반복하면서 어쩔 수 없이 그 공간을 사유화시키는 경우가 많지만 말이다. 그래도 예술의 의미는 바로 예술이 창조할 수 있는 실제나 상징 공간, 예술이 생성하는 픽션과 역사에 있는 게 아니겠는가? 게다가 우리가 사는 이 시대는 단순히 공공장소의 기능 때문이 아니라 공공장소가 받고 있는 극심한 압박 때문에 특수한 주의가 필요한 시대이지 않은가. 공공장소 안에서 일어나는 예술을 이제는 스스로가 곧 공공장소인 예술, 혹은 공공장소를 발생시키는 예술과 구별 지어야 할 때다.

2020년 10월 14일
공공장소 2

공공장소 안에서의 예술은 사실 제한된 공간이나 사적 공간에서 공공 영역으로 그 위치를 바꾸는 것 이상의 의미는 거의 갖지 못한다. 예술이 자산이라는 지위를 벗고 소유권이나 경제적 교환과의 관련성을 용해시키려면 무언가 더 필요하다. 공원으로 옮겨 온 공연 예술이 자신의 프레이밍을 유지하거나 심지어 강화시키는 경우를, 극장도 함께 끌고 와버린 나머지 타인과 함께 있으면서도 개인화된 방식으로 참여하게 만드는 경우를, 우리는 얼마나 많이 보아 왔던가. 정말로 우리는 공공장소로 도출된 극장(고대 그리스에 뿌리를 둔 그런 것들)과 18세기 후반쯤부터는 나타났던 관극 방식을 구별 지어야 한다. 후자는 정확히 부르주아 문화, 혹은 우리가 통상 자유 주체라고 하는 것을 모사한다. 이러한 형태의 주체는 진정한 공공장소와도, 자주권과도 연결성을 상실한 주체인데, 이 상실을 보상한 것이 의회 민주주의 및 서서히 증대되는 개인주의, 근대적 형태의 자본주의였다. 그 시점과 또 맞물리는 것이 근대 미학, 즉 예술과 미학적 실천을 전 세계적으로 식민화하고 여전히 서구 예술관을 지배하는 미적 체제가 형성된 시점인데, 물론 이것은 우연이 아니다.

예술이 공공성을 띠려면 그 첫째 목표는 관습적인 향유 형식 안에서 인정받으려는 욕구를 내려놓는 것이어야 한다. 그리고 이미 주어진 향유 양태들이 전제하는 예술은 언제나, 혹은 쉽게, 자산으로 사유화되어 버릴 수 있는 예술임을 파악해야 한다. 그런 후에는 자신이 공공장소 안에서 벌어지는 사적 예술이나 공동체 예술이 되고 싶은지, 아니면 공적인 교류를 구성하는 예술이 되고 싶은지도 결정해야 한다.

공공장소에서의 예술은 압도적인 비율로 전자의 형식을 따르는데, 특히 사회적, 정치적, 공동체 관련 의제 및 인센티브를 지닌 작품이나 프로젝트의 경우 더욱 그렇다. 전달이나 획득이 되어야 하는 측정 가능한 대상이 생겨나는 순간 공공의 영역에

다가가는 예술의 본질은 증발된다. 이때 예술은 불확정적인 열린 체험이나 교류가 아니라 정보의 교류로 변해 버리면서, 신문이나 디스커버리 채널과 크게 다르지 않은 일개 수단에 불과하게 된다. 물론 가치 있는 것을 전달하겠다는 욕구에 끌리기 쉽고 이는 세계 곳곳의 고통을 생각하면 더더욱 그렇지만, 공공장소의 관점에서 보면 그런 예술은 공공장소의 특수성을 지탱, 유지하지 못하고 역효과를 낸다. 안타깝지만 이런 예술이야말로 현대 사회가 예술가에게 바라는 예술이며 상황은 나날이 악화되고 있다. 사회가 어쩌면 공공장소에 관해 철저한 접근을 하는 예술을 무서워한다는 생각마저 해 볼 수 있지 않을까?

공공장소에 관한 다음의 개념으로 돌아가 보자. 공공장소는 소유권을 거부하는 공간이며 본질을 포착하려 하면 쓱 빠져나가고, 가치를 중시하는, 심지어 해석이라는 개념을 중시하는 다양한 관습을 멀리한다. 이 특수한 체험을 선사하거나 증폭하려는 의도로 공공장소에 접근하는 예술은 표현을 절제하고 스스로를 연출적 장치라기보다 하나의 상수로 정립해야 한다. 그런 예술은 또한 내용보다 형식을 강조해야 하며, 동시에 주체성의 수행을 탈피하고 일종의 부드러운 익명성을 강조해야 한다.

현대 심리학이 고수하는 입장은 대체로 인간이 정체성 안정을 위해 인정과 승인을 받아야 한다는 것이다. 그것이 꼭 긍정적인 방향일 필요는 없고 인정과 승인만 있으면 된다. 우리의 자기 이미지는 내가 다시 '보아지는'(looked back at) 대상이 되고 내 존재를 세상과 교섭할 수 있을 때 비로소 완성된다. 괜찮지 않은가? 그렇기는 한데, 여기에 따르는 대가가 있다. 모든 형태의 정체성(자기 이미지)이 곧 권력과 인식 가능성에 바탕하고 있다는 점이다. 내가 그 어떤 나라도 될 수 있는 것은 권력이 내게 인정을 부여하는 한도 내에서이며, 기존 권력에 위협을 가하는 사람은 될 수 없는 것이다. 하지만 역설적으로 억압된 욕망은 자신을 유지하기 위한 권력을 욕망하는데, 이는 폭력적이든 억압된 상태든 그것도 하나의 이미지/정체성이기 때문이다.

그런데 어떤 공간이나 상황, 만남이 고집스럽게 내 시선을 되돌려주지 않거나 스쳐 가는 눈길만 준다면 어떻게 될까? 아니면 어떤 공간이 자신의 구조 때문에 정체성을 확인해 줄 수 없다면 어떨까?

공공장소는 그런 역량을 지닌다. 누구와도 편먹지 않으며 중립보다도 더 중립적인 이 공간은 철저히 무작위하게 대상을 바라봐 준다. 공공장소라는 건 정확하게 특정한 무엇이 아니라는 의미이며 그렇기 때문에 이 장소는 그 안에 거주하는 자를 확인해 줄 수 없는 동시에 확인하지 않을 수도 없다. 판별 가능한 어떤 실체가 주체를 (긍정적으로든 부정적으로든) 확인해 줄 수 있고 무조건 그렇게 할 것이기 때문에, 공공장소가 공공장소가 되기 위해서는 무엇으로 존재하거나 무엇으로 화하기를 거부해야만 하는 것이다. 이런 상황에 맞닥뜨린 개인에게는 일단 두 가지 기회가 주어지는데 하나는 시선을 피하고 눈을 감은 채 그 상황을 억누르는 것이다. 없었던 일이었든지, 아무것도 아닌 일인 척을 하든지. 두 번째 기회는 나 자신을 내려놓고 인정과 승인이 철회된 상황에, 나를 되돌아봐 주는 사람이나 기타 존재의 부재에, 그냥 나를 맡겨 버리는 것이다. 이 과정을 어쩌면 익명화의 순간이라고 볼 수도 있을 것이다. 이 세상을 향해서만 익명인 것이 아니다. 나 자신에게도 익명인 상태, 그리하여 나를 나 자체로 체험할 수 있게 열려 있는 상태다. 이런 나나 저런 나의 모습으로서가 아니라 나 자신을 완전히 다른 개체, 철저히 이질적인 대상으로 체험할 수 있게. 아니 이건 그보다 더 무섭고 굉장한 일이다. 왜냐하면 이건 내가 될 수 있는 가능한, 불가능한, 잠재적인 모든 버전의 나를 전부, 그리고 한꺼번에 체험하는 일이기 때문이다. 공공장소와의 만남, 더 훌륭하게는 '공공'과의 만남은 곧 체험한다는 체험, 그 모든 체험이다.

　그러한 체험에 이르게 하는 수단이나 경로는 극도로 적고, 이를 (아주 짧디짧은 순간만이라도) 가능케 하는 건 어떤 디자인이나 사회 참여적인 뭔가를 고수하는 일에 비하면 믿을 수 없을 만큼 힘겨워지고 있다. 예술은, 그리고 내가 볼 때 특히 무용은 이러한 강도(intensity), 즉 우리가 이탈하지 않을 정도로만 우리를 바라봐 주는 능력을 지니고 있다. 하지만 무용이 더더욱 대단한 이유는 이러한 체험이 관객이나 목격자뿐 아니라 댄서에게도 가능하기 때문이다. 춤춘다는 것, 정말로 춤을 춘다는 (그래서 "그 이상 아무것도 없다"는) 것은 나 자신을 포기한 채 익명이 되는 것, 공공이 된다는 것을 내포하고 있다. 춤을 춘다는 건, 이 체험이 덧없고 오직 이번뿐이라는 걸 아는 채로 이름 없이 시간을 보내는 일이다. 그러한 순간 춤은 몸 안에서 울려대면서 이렇게 인간으로 존재한다는 것, 이렇게 이 지구에 거주한다는 것, 이렇게 두렵고 지친다는 것이 그저 무한한 가능태 가운데 딱 하나의 버전일 뿐임을 상기시킨다.

　공공장소는 도시의 회색 지대나 공원, 특정한 공간을 가리키지 않는다. 공공장소는 하나의 실천이자 일종의 강도로서 어디에서나 나타날 수 있고 극장과 미술관, 댄스 스튜디오, 콘서트홀에서조차, 아니 그런 곳일수록 특히 더 그렇다.

예술가로서 댄서로서 우리의 책임은 이런 공간들, 즉 주체적인 사상과 대안적 서사, 억압된 자들의 역사, 절대 잘될 리 없겠지만 그럼에도 기여하는 바가 있는 픽션들, 독특한 형태의 주의력을 강력히 요청하는 사운드와 이미지, 이 세계들을 자라게 할 이야기를 들려주는 소리와 이미지들에 대한 약속을 품은 공간들을 일구고 지키는 것이다.

### 2020년 10월 15일
### 공공장소 3

런 스루가 끝난 후 안무가는 댄서들에게 아주 좋았다고 말한다. 당연히 자잘한 수정 사항과 몇 가지 실수는 있지만 전체적으로 훌륭했다고. 안무가는 이제 각자가 이것을 자기 걸로 만드는 일만 남았다는 말로 끝맺는다. 이 내용을 완전히 장악하라는 말을 덧붙이는 안무가나 연습 감독도 있을 것이다.

내 것으로 만들고 장악을 하라고? 그래, 표면적으로는 나도 알겠다. 쉽게 말하면 자신감을 좀 갖고서 실수에 너무 신경 쓰지 말고 춤추라는 말일지도 모른다. 이것이 배우한테 하는 말이라면 뭐랄까 스타니슬랍스키를 메소드 연기의 사실주의와 결합하는 그런 관점에서는 적절한 말일지 모르겠지만 댄서에게라니?

댄서들은 어느 시점엔가 스스로를 안무가로부터, 그리고 댄서가 단순한 도구라는 저속한 관념으로부터 분리시켜야 했다. 무용수가 곧 춤이라는 관념에는 무용수에게 주체성과 권한성이 있다는 의미와 더불어 무용수의 임무란 그 어떤 면에서 보아도 '날 따라해 봐요' 같은 우둔한 실천이 아니라는 뜻이 담겨 있다. 이것은 또한 우리가 무용을 미메시스적 실천으로 이해하는, 그리고 무용과 재현의 관계를 이해하는 방식과 그 여부, 상황 조건과 관련해서도 의미가 있을 것 같다. 무용은 (적어도 1950년 이후로는) 근본적으로 비미메시스적 혹은 상징적이며, 스스로를 그 자체로 재현하고 무용수의 권한성을 빼앗아 가지 않는다.

즉흥이 무용 내부에서 하나의 자율적 역학으로 자리하게 되자, 무용수와 춤이 서로 교체 가능하다거나 공생을 실천한다는 진술 역시 중요해졌다. 이보다 밋밋한 또 다른 관점은 아름다운 시절 1968년에 동일하게 뿌리를 둔 것이기도 한데, 감정적인 대응이라든가 소유권 및 권한 문제에 대한 다소 편집증적인 반응을 개인적인 것이 정치적이라는 말과 혼동하는 것이다. 어찌 됐든 무용과 무용수 사이의 거리는 최소화되어야 한다는 사고는 즉흥이나 접촉 즉흥, 1980년대의 무브먼트 연구 등을 비롯하여 현대의 소마틱스, 탈식민 무용, 정체성 및 퀴어 정치학과 연계된 무용 등을 통해 아직까지도 꽤 활력을 유지하고 있다.

개인적인 것이 곧 정치적이라는 말과 무용수가 곧 무용이라는 말은 역사의 어느 시점엔 부정할 수 없이 중요한 말이었지만, 지금은 상황이 확실히 달라졌고 어쩌면 상황은 개인주의나 고립공포감(FOMO), 암호 화폐, 저가 항공, 베를린의 클럽 베르크하인을 필두로 한 클럽 문화에 물들어 불쾌한 아수라장이 되어 버렸는지도 모른다. 이런 상황에서 춤이 다른 관점을 제공할 수 있다면 어떨까? 우리가 잠시 동안 나 자신, 내 정체성(이건 분명 특권일 수도 있지만 꼭 그런 것만은 아닐 것이다), 내 관계, 내 결정과 행동, 심지어 내 기억, 내 꿈, 내 생각을 내 것으로 장악하지 않아도 되는 공간에 무용이 생기를 불어넣어 줄 수도 있지 않을까?

　이런 공간이 우리와 만나 생동하며 스스로를 형성할 수 있게 하려면 춤을 절대 내 것으로 장악하지 말고 독립된 춤이 자기 나름의 삶을 살게 해 주는 것이 첫걸음이다. 춤을 춘다는 건 고양이를 데리고 사는 것과 좀 비슷할지도 모르겠다. 함께 살지만 고양이를 진짜로 소유하지는 못하며 이 고양이가 나랑 같이 사는 것 같기는 한데 영역이 겹치는 일도, 영역을 주장하는 일도 없다. 춤을 내 것으로 만드는 순간 나는 춤의 권한성 역시 철회시키게 되지만, 내가 춤과 나란히 춤추면서 끈질기게 거리를 유지한다면 나는 춤에게 뭔가를 배울 수 있게 된다. 그 춤을 더 잘 추는 법을 알게 된다거나 어머니와의 관계가 내게 남긴 트라우마 같은 걸 배운다는 게 아니라 그 춤에 대해, 이 세계 안의 춤이라는 존재에 대해 배우게 된다.

　춤을 출 때 내가 하고 싶은 것이 바로 이렇게 춤의 세계를 알아 가는 것이다. 당연히 그건 대화나 논의가 아니라 그 자리에 있음을 통해, 나란히 함께 있음을 통해 이뤄진다. 욕망이나 투사 없는 건조한 친밀함 혹은 근거리 같은 것을 통해서. 춤은 그 자리에 존재하는 동시에 찰나만을 스치며 자신의 '되기' 안에서, 또 그것을 통해서 정작 소멸하고 마는 존재이기에 그 친밀성이나 근거리는 정말이지 훨씬 복잡하고 까다로워진다. 다른 한편, 춤과 춤추기는 바로 그 점 때문에 버거운 행위다. 지하철에서 처음 본 사람에게 빠져드는 일처럼 가벼울 수도 있지만 내 존재의 전부를 걸고 사랑했던 이를 놓아주는 일과 비슷할 수도 있는 것

이다. 지금 놓아주지 않으면 그 사랑이 소멸해 버릴 것을 알면
서도 누군가를 사랑하는 그 역설적인 감각.

춤을 출 때 우리는 춤을 드러내고 싶은 건지, 춤을 행하고 싶
은 건지를 정해야 한다. 우리가 춤을 드러내는 순간 춤은 더 작
아질 뿐만 아니라 그 권한성 역시 흩어진다. 춤을 존경스러운 존
재로 만들어 줄 수도 있지만, 그건 춤이 단지 춤으로 존재함으로
써 건네는 아름다움을 빼앗는다는 의미가 된다. 춤의 아름다움
이란 나무의 아름다움을 경험하는 일과 비슷하다고 나는 생각
하고 싶다. 대단할 것 없지만 그 자리에 있는 것. 놀라움을 주기
보다는 여전히 평범하고 통상적인, 그러면서도 벅차오르는 것.

춤을 내 것으로 만들려 하기보다는 춤이 바로 내 옆에 자리
한 듯 나란히, 때로는 만나지만 결코 나와 포개지지 않는 듯 춤
추기. 춤을 내 것으로 만들기보다 나 자신, 나의 정체성, 관계,
결정과 행동, 심지어 나의 기억, 꿈, 생각을 춤에게 맡겨 두고 아
무런 보상도 요구하지 않는다면 어떨까. 만약 그게 가능하다면,
아니 실제로 가능한 일인데, 나는 그것이 바로 공공이 되는 일이
라고, 그것이 바로 춤과 내가 함께 아무리 일시적이고 덧없을지
언정 우리가 공유하는 하나의 공공장소를 발생시키는 일이라
고 믿는다. 춤을 바라보는 누군가, 어쩌면 눈을 감고 바라보는
그 누군가와 함께 나누는 공간. 평범하면서도 벅차오르는 그것.

## 2020년 10월 16일
## 대중이란 무엇인가

억겁으로 느껴질 시간만큼 춤과 퍼포먼스를 보고 났더니. 모든, 모든이 아니라도 거의 모든, 정말로 거의 전부가 공유하는 공통점이 하나 있다. 표현, 주제, 소재, 무대, 조명, 음악, 정치학, 형식이 끊임없이 검토되고 변주는 끝이 없지만 그럼에도 모두가 공유하는 공통점이 하나 있다. 한 명밖에 없는 경우도 있고 여럿일 때도 있고 온라인상일 때도 있지만, 언제나 사실상 예의 그 익숙한, 똑같은 관객을 맞이한다는 점. 관객, 이 대중은 어째서 항상 그렇게 어둑어둑한 좌석에 갇혀 잠에 빠질 지경이 되든지 아니면 멀티태스킹을 재개할 때까지 남은 시간을 세고 있는 걸까. 맙소사, 극장은 멀티태스킹이 아주 큰일 날 일로 전격 금지된 유일한 장소다. 그런 장소가 또 어딨겠는가?

　극장은 지난 몇 백 년간 백만 번쯤 변화해 왔지만 관객도 그러했는가? 뭐, 나이대가 다를 수 있고 대부분 정치적인 목마름이 있으며 계급 투쟁이나 중산층의 안락함에 다양하게 연결되어 있기는 하지만 그 사람들이 극장 안에 자리하는 방식은 대개 동일하게 유지되고 있다. 그냥 더 재미가 없어졌을 뿐.

　어떤 것이든 사회적 변화를 열망하는 연극, 무용, 퍼포먼스는 자신이 말하고자 하는 바에 대한 고민을 시작하기도 전에 대중이 과연 어디에 있으며 누구인지, 그리고 무엇인지를 먼저 재고해야만 한다.

　진짜 극장이든 연습실이든, 갤러리 공간이나 낡은 창고, 공원이든 상관없이 극장에 가는 일이 그렇게 기분 좋은 이유는, 프레임만 탄탄하고 온전하다면 극장에서 대단히 이상한 일은 벌어지지 않으리란 걸 알기 때문이다. 극장에서는 참여라는 것이 특히 더 설레고 신난다. 뭐가 됐든 나 자신과 나의 삶, 이 세계, 기타 등등 그 무엇에도 아무 영향을 못 끼치리란 걸, 기껏해야 눈곱만큼의 영향 정도란 걸 알기 때문에. 손으로 눈을 가리고 공포 영화를 보는 일과 크게 다르지 않을 것이다. 시계나 창밖을 잠깐 보는 것만으로도 극장의 환상을 손쉽게 외면하거나 종료해 버릴 수 있다. 바깥세상은 캄캄하지 않으며 당신은 무시무시한 숲속에 있는 게 아니라 서울이나 베를린에 있는 거고, 전염병 때문에 어차피 해가 진 후엔 밖에서 돌아다니는 사람도 없다.

특정한 정치 맥락에서는 극장과 예술이 검열 대상이 되거나 정권의 직접적인 간섭을 받기도 하지만 이것이 관객과 연관되는 경우는 아주아주 드물다. 예술에 가해질 수 있는 폭력을 과소평가하겠다는 것이 아니라, 관객 전체가 감옥에 들어가게 되는 일은 꽤나 유일무이한 사건일 테니까. 극장에서 벌어진 일은 극장에 남는다. 탄탄한 프레임이 이 점을 아주 효과적으로 통제한다.

공연은 다양한 종류의 삶, 다양한 인간되기의 방식을 보여주는데 정작 그 관객은 돈 주고 티켓을 사서 앉아 있는 도시 중산층에다 대부분 전문성을 지닌 사람들이라는 게 좀 혼란스럽고 역설적일 수도 있겠다. 이런 순간들은 참으로 빈번하게 19세기 프릭쇼와도 크게 다르지 않은 방식으로 타자성을 시전하지 않던가. 다소 역효과를 낳기는 해도 이런 이야기는 보다 포용적이고 관용적인 논의를 향한 첫걸음으로서 의미가 있을 수 있다. 그런데 또 한편으로는 이 상황을 그냥 유지하는 것도 솔

깃한 선택지일 수 있는 것이, 분명 이런 상황이 승인해 주는 대상이 있기도 하고 안전한 환경과 나름의 경제를 제공해 주고 있기 때문이다.

무용, 퍼포먼스, 모든 형태의 예술은 그 안에 담긴 내용보다 프레임이 더 강력하다는 점 때문에 혜택도 누리고 시련도 겪는다. 연극이든 무용이든 그 활동은 연극이나 무용의 장치 그 일부로서, 그 장치를 비우거나 뒤엎거나 탈취할 수 없다.

프레임에 비평을 가하려는 공연을 보고 있자면 조금 민망하지 않은가. 외모가 출중한 사람이, 주변에서 너무 그 사실을 들먹이니 일부러 수수한 옷차림을 하는 것 같달까. 마찬가지로, 무용과 연극이 아마 제대로 겪어 본 적이 없을 제도적 비평 역시 (나쁜 의미에서) 허영이나 오만이 되고 만다. 저기요, 이미 초청된 다음에야 미술관을 비판하는 건 쉽죠. 그리고 미술관은 결국 당신이 미술관 벽에 구멍을 내거나 전시를 연기한다든지, 미술관 이사들이 주고받은 이메일을 전시하라는 정도의 허가를 내준 건데, 그걸로 당신이 얼마나 쿨하고 센 사람이 된다는 거죠?

제도 비평을 살펴보면 그 핵심 아티스트들은 압도적인 비율로 백인 이성애자 남성(물론 예외는 있다. 특히 앤드리아 프레이저)이라는 점이 너무도 뻔히 보인다.

물론 제도 비평도 별개의 삶을 산다. 비평을 드러내거나 재현하지 않고 오히려 실천해 내는 감춰진 삶. 그런데 그 예술가들은 역사책에 실리거나 잡지의 특집 기사가 되지는 못한다. 다만, 그들이 가능케 한 변화들을 통해 다른 이들의 이름이 실리게 만들 것이다.

그럼에도 남는 한 가지 질문은 이거다. 무대 위에서는 이토록 강력하게 동시대적이면서 정작 관객은 전혀 그렇지 못한 틀 속에 위치시키는 공연을 우리는 어떻게 이렇게나 많이 볼 수 있는 걸까. 하나는 편리함일 것이고, 중요한 건 예술에서의 성공이란 분명 관객의 경험이 확인되는 방식과 비례하고, 관객이 위험 부담 없는 맛보기 수준 안에서 개입할 수 있느냐의 여부와 또 비례한다는 사실이다.

오늘날 공연 예술은 우리가 기업 문화나 SNS 등을 통해 너무도 익숙한 주의력 양태들을 재생산하는 경향이 있다. 주의력은 곧 경제다. 현대 경제는 시간의 최적화를, 그리고 우리가 거기에 참여하는 방식을 끊임없이 업그레이드한다는 뜻이다. 그러니 우리는 극장의 부르주아적 객석 배치를 탈피해야 하는지도 모른다. 초고속 주의력을 끌어내는 것이 아니라 반대로 시간이 표류하는, 꼭 느려진다는 게 아니라 다른 식의 페이스를 지니게 되는 공간들을 창출하면서.

오직 춤이나 공연 예술만이 발생시킬 수 있는 주의력이란 무엇일까? 연극과 무용은 어쩌면 우리가 온라인 접속에, 요가 수업에, 넷플릭스 알고리듬에 사로잡히지 않는 공간으로 기능할 수 있을 것이다. 그 나름의 규율이나 올바른 처신 때문이 아니라, 무용과 공연 예술은 또 다른 양식의 욕망들, 혹은 그야말로 시간과의 새로운 관계성을 선사하기 때문이다.

우리 삶에서 특히 테크놀로지와의 관계에 있어 시간이 경제화되고 정보 흐름이 심화되면서, 우리는 훨씬 높은 비율로 의사 결정에 노출되고 있다. 소개팅 앱에서 예스나 노를 결정하는 속도, 스타벅스에서 퍼붓는 선택지들만 봐도 그렇다. 신자유주의 경제는 극히 미묘한 방식으로 우리 스스로가 결정과 선택을 한다는 착각을 안겨주지만, 우리가 당연히 기억해야 할 것은 스타벅스는 경제적으로 유효한 결정 사항만을 우리에게 제공한다는 것이다. 아메리카노냐 카푸치노냐, 스시냐 사시미냐. 그들은 이미 당신의 결정을 굳혀 버렸다… 결정을 내린다는 환상을 선사함으로써.

자본주의는 결국 사유 재산과 가치 축적의 문제라 상황이 달라질 리는 별로 없겠지만, 예술이나 무용과의 조우가 새로운 방식으로 공간에, 삶에, 세상에 거하는 방법을 관객에게, 대중에게 선사할 수 있을 거라는 상상은 불가능할까? 관람객에게 둘 중에 하나를 선택하라고 하지 않는 공간, 개인에게 특정 대상을 다른 대상보다 선호하라고 요구하지도 않고 주어진 상황을 해석하거나 분석하라고 하지 않는 공간. 주의력을 어딘가로 유도하거나 설계하지 않는 시간과 공간, 개인이 사유하는 존재로서 어떤 취사선택이 아니라 자신이 처한 시점에서 하나의 결정을 생성할 기회를 얻는 그런 시간과 공간을 춤이 건네줄 수 있을까. 그 결정이란, 가능한 최선의 선택지들을 보고 고르는 방식이 아니라 가능선과 최선을 '무시'한 채, 진정으로 나의 개별적인 참여와 개입을 택하는 일이다. 그때 이것은 선택이 아니라 공헌이 된다. 모종의 생산이 되는 것이다. 정치적인 수준에서 보자면, 이쪽이나 저쪽의 기존 입장을 지지하는 형태에서 벗어나 정치학을 만드는 일, 혹은 이 세계 안에 하나의 입장을 창출해 내는 일로 옮겨 간다는 의미가 된다.

춤은 공간이나 시간의 소모의 문제가 아니라 시공간의 펼쳐짐에 나를 비우고 열어 두는 것이다. 이것은 그 공간과 시간, 그리고 그 시공간에 거주하는 활동(춤)이 대가 없이 스스로를 내어 주어야만 발생할 수 있는 펼쳐짐이다.

이제는 관객이 관객이기를 잊고 민중으로 변모해야 할 때인지도 모른다.

## 2020년 10월 17일
## 실천 기반 무용 1

"아니 그것보다 훨씬, 정말 훨씬 더 복잡한 거야." 참 끔찍한 문장 아닐까, 나만 그런지는 모르겠지만 우리가 꽤 드물지 않게 듣는 문장이다. 그런데 진짜 의미가 도대체 뭐냐 말이다. 이 말은 일단 나의 제안이 순진했거나 대놓고 멍청했다고 지적하는데, 그건 나도 견딜 수 있다. 그런데 더 나아가 이 말은 마치 달래 주는 듯 기를 꺾는 듯, 제안을 한 사람의 입을 막는 말이다. 누군가는 필경사 바틀비 스타일로("안 하는 편을 택하겠습니다") 저 말이 틀린 말은 아니라고 할 수도 있겠지만 뭐가 어떻게 왜 더 복잡한지 얘기는 해 줘야 되지 않나? 사실 나는 이 말의 문제가 거기에서 그치지 않으며, 어떤 입장도 확실히 취하지 못한 채 쫄아 버리고 마는 자유주의 기회주의자의 목소리를 가리는 연막작전 같은 말이라고 생각한다. 신자유주의 전문 용어로 번역하자면, 진술하기보다는 실천을 하는 회복 탄력적 주체의 중얼거림일지도.

지난 몇 년간 '실천'은 무용과 공연 예술의 새로운 '쿨'로 떠올랐지만 이런 전환이 흥미로운 만큼 사실은 주체성, 생산, 권력 배분 등의 이슈에 관한 신자유주의적 접근과 전략을 예행 연습하는 측면도 많지 않나 하는 생각도 든다.

   스웨덴의 어떤 보험 회사는 신입사원들에게 아무런 개괄이나 지시 없이 "이 책상을 쓰시면 되고 6개월 후에 자기 평가를 해 주시기 바랍니다"라고 한다. 다른 말로 하면 너 스스로를 쓸모 있게 만들어라, 그런데 어떤 쓸모인지는 얘기해 주지 않을 것이고 회사가 당신을 데리고 있을 이유를 만들어 달라는 거다.

   우리가 아는 공연이란 간혹 예외는 있으나 하나의 진술로 기능한다. 하나의 발화이자 입장의 현현이며, 그렇기에 비평과 논의, 반대 등에 노출된다. 또한 공연은 결코 그것보다 더 복잡하지 않으며, 그러나 바로 그 점 때문에 존재할 이유, 영향력, 정당성을 갖는다.

   공연, 연극과 무용도 물론이지만 퍼포먼스까지 포함하여 공연이라는 것은 초월적 역량이라고 할 만한 것을 통하여 작동하게 된다. 우리가 입센의 「민중의 적」을 공연할 때 그 극은 개별 지역의 상황을 초월한다. 공연을 엉망으로 만들어도 그 작품은 여전히 대단한 희곡인 거다. 또 연출가의 권력적 지위는 개인을 초월하고, 우리는 연출의 업무 분장에 '진상 되기'가 포함된다는 것도 어느 정도는 알고 있다. 마찬가지로 퍼포머의 능력은 그 사람을 초월한다. 그건 어느 정도 식별 가능한 테크닉이 적용되기 때문이기도 하고, 무용수가 안무가의 제안을 실행해 낸다면 그 무용수의 성격, 배경, 사회성, 상상력, 협동심 등은 사용은 가능하되 앞서 말한 실행에는 부차적이라는 의미이기도 하다.

   이것은 분명 권력, 위계, 배제, 처벌, 획일화 등을 통해 정립되며 생존, 번창하는 작업 절차다. 그러나 온갖 끔찍한 요소로 가득 찬 만큼 퍽 투명하고 뻔한 측면도 있다. 명쾌하게 떨어지는 훈육의 복합체로서, 헤쳐 나가기도 꽤 쉽고 피해 버리면 그만이기도 하다.

일반적인 연출가와 안무가 대부분은 이것을 견본으로 활용한다. 영감이 고갈된 안무가를 받쳐 주고자 무용수들에게서 아이디어를 쥐어짠다거나 무용수들을 원료로 활용해 프레임 안에 삽입하고 그것이 천재적 마인드의 산물인 양 노출시키는 등 견본을 애매모호하게 사용하는 일도 드물진 않지만 말이다. 이때 훈육과 통제는 고약한 혼합물로 뒤엉켜 몹시 유해한 환경을 수도 없이 만들어 낸다.

실천 기반의 무용이라고 할 때 실천은 이런저런 조건의 배치를 바꿔 봄으로써, 스스로에게 처벌 권한을 부여하는 중앙화된 초월 권력 앞에서 보다 수평적인 형태의 교류, 공유, 대화, 이질성 등을 추구한다. 이를테면 어떤 선호 없이 참여자들을 불러 모은 후 열린 지시 사항들에 바탕한 춤추기 등의 실천을 공유하는 경우가 종종 있다. 열린 지시 사항이란 참여자 개인이 해석하여 형태와 표현을 부여하는 지시 사항이다. 실행이 끝나면 각자의 경험과 관찰을 공유하고 이 내용이 다시 지시 사항에 반영되거나 새로운 매뉴얼 구성의 토대가 될 수 있다. 초월적 역량이 아닌 실천 기반의 무용에서 강조되는 것은 그 상황, 개시자, 참여자 등이 지니고 있는 내재성이다. 실천은 당연히 다양한 맥락에서 제안될 수 있지만 하나의 상황 안에서 발생하는 일들을 다른 상황과 일대일 비교하는 건 불가능하다. 실천을 제안하는 개인이나 집단은 상황을 초월하지도, 자신을 초월하지도 않으며 그 상황에 내재하는 개인 혹은 집단인 것이다. 마찬가지로, 참여자들은 인식 가능한 기술과 능력을 중심으로 활용되는 대신 그들이 누구이고 무엇이며 어떤 상태인지에 따라, 즉 그들 안에 내재한 것이 무엇이냐에 따라 활용되게 된다.

한편으로는 이것이 자기실현의 기회다, 능력, 내면의 공간, 영적 교감을 탐색할 기회다, 나의 신체나 자기 이미지 등과 맺는 다양한 관계성을 연습할 수 있는 기회다, 이렇게 볼 수도 있지만, 실천의 개시자가 사실은 참여자 그 자체를 '이용'하는 거라고 볼 수도 있다. 참여자가 보유한 기술이 아니라 그가 어떤 사람인지를 참작한다는 것인데, 이것은 정확히 현대 자본주의의 전반적인 속성과 겹친다. 이른바 삶 자체의 재원화다.

만약 중앙화된 권력이나 하향식 권력이 문제를 일으키며 불균형과 잠재적 학대로 기울어지는 경우, 개시자가 결정보다는 제안을 하는 실천을 강조하면 유해 환경의 가능성이 줄어드는 것 같다. 또 만약 관습적인 생산 방식이 퍼포머의 시간을 잠식하려 할 경우, 실천 덕분에 참여자는 스스로에 대한 투자를 할 수 있게 되는 것 같다. 충분히 동의 가능한 논리이기는 하다. 그런데 이것은 또 어느 정도까지 권력을 위장하는 문제인 걸까, 또 최소한의 정보(결정)만을 가진 개시자가 보험 회사와 엇비슷한 방식으로 참여자의 창의력과 인풋에 의존하는 환경을 만들고 마는 문제인 걸까.

우리는 실천 기반의 무용을 사회 내부의 동시대적 현상을 향한 저항으로 이해하지 말고, 그 역시 신자유주의적 전략 및 통치 형식과 겹칠 수 있음을 살펴야 할 것 같다. 우리는 전부 회복 탄력성, 비정규 노동 경제, 불안정성, 행위 유발성, 정체성 등등의 측면에서 그런 전략들에 노출되어 있다.

한 사회가 발생시키는 예술은 명백히 권력, 자원, 생산의 전반적인 분배 양식과 상관관계에 있다. 체제에 호의적인 예술 작품이든 그에 항의, 저항하며 개입을 거부하는 예술이든 모두 그 맥락의 반향이다. 그렇기 때문에 실천 기반의 무용은 그 시대가 낳은 자식에 불과한지도 모른다. 이것은 작은 재앙으로 해석할 수도 있고("아, 우리의 좌익에 무슨 일이!"), 하나의 조짐으로서 우리가 여기에서 교훈을 얻어 이를 변혁하거나 대안을 제시하게 할 수도 있을 것이다.

　그런데 여기서 실천 기반의 무용이 '연습실'을 벗어나 무대로 갈 때 이야기가 꼬이기 시작한다. 무대라는 맥락은 실로 초월적 역량을 통하여, 그리고 그러한 역량을 가지고 작동하는 측면이 현저하기 때문이다. 우리가 보는 방식, 그리고 재현이 강화되는 방식과 관련해서 특히 그렇다. 그런 실천이 약속하는 희망, 내재성의 허용, 내재성에의 의존은 극장의 장치에 진입하자마자 풀썩 주저앉아 버려서 '연극적' 재현과 거의/전혀 부합되지 못한 채 자유라는 환상, 개인의 창조력, 그 비슷한 것을 까발리고 말기 때문인 걸까? 연습실이나 공원에 남는 것이 실천 기반 무용의 운명이어서 그 자리를 떠나지 않아야 배려와 아름다움을 지닌 대상이 되는 걸까? 실천이 무대에 오를 때 그것은 이제 그냥 실천이 아니게 되고 그 순간 자신의 정교함을 상실한 채 "아니 그것보다 훨씬, 정말 훨씬 더 복잡한 것"이 되어 버린다는 사실, 그런데 이게 누구의 이익과 기쁨을 위한 것일까?

　어떤 사물(some thing)이 무언가(something)가 되려면 재현의 복잡한 그물에 뒤얽힐 수밖에 없기 때문에 재현으로부터 완전히 물러나는 일은 불가능하다는 걸 우리는 다 알고 있다. 실천도 그만큼 뒤얽혀 있는데, 무대에 올랐을 때 그 재현적 역학은 어떻게 변화하는 것일까? 다르게 표현해 보자면, 실천이 그저 실천으로 있지 않고 스스로를 실천으로 재현할 때 그 수행성은 어떻게 변환되는 것인가? 실천이 시범이 되는 것인가?

2020년 10월 18일
실천 기반 무용 2

자, 이것은 실천 기반의 무용을 내치겠다는 것이 아니라 관점을 바꿔 보려는 시도이다.

우리는 최근 수년간 퍼포먼스를 떠나 실천으로, 초월을 떠나 내재성으로, 드러내기를 떠나 공유로, 또 전달자와 수용자의 관계는 모호함으로 이행하는 현상을 목격해 왔다. 강조된 것은 과정이고 결과는 부차적이었으며, 이는 측정 가능성에 연루된 평가를 가할 수 없는 개별적 체험, 나아가 정동적인 체험에 대한 관심으로 볼 수도 있을 것이다.

실천이 중첩적이라거나 여러 층위에서 동시에 작동할 수 있다는 생각이 혹시 가능할까? 그래서 우리가 공간 내의 움직임이나 공간의 점유에 관한 지시 사항들을 실천할 때 대안적 윤리의 가능성, 공동 서식의 가능성, 상호 보살핌의 가능성, 기타 등등의 가능성을 함께 실천하게 되도록 말이다. 한 가지 질문은 그러한 윤리 등이 (확률적이든 우연적이든 그 중간이든) 과연 어떤 역학과 연계되어 작동하는가, 더욱더 중요하게는 과연 어떤 이데올로기나 정치적 입장과 연계되어 작동하는가 하는 것이다. 왜냐하면, '실천에 기반'했다고 해서 자동으로 그 정치학도 마냥 좋기만 하다는 법은 어디에도 없지 않은가?

흔히들 예술과의 조우를 잠재성에 직면하거나 개입하는 일로 이해한다. 관람객 개인에게 작용하는 하나의 강도로 드러난 이 잠재성은 그 개인이 이 세계 안에서 행동할 기회를 확장하거나 축소한다. 이 강도는 방향성이 없는 생생한 역량으로서, 무조건 방향성을 취하는 권력이나 물리력 같은 힘과 대비된다. 목적지를 모를 수가 없는 힘, 이 물리력은 인과성에 물들어 있기 때문에 오로지 가능한 (그리고 불가능한) 생각, 경험, 감각만을 창출하는 반면, 인과성이 전무한 강도가 발생시키는 것은 가능한 대상(과 불가능한 대상), 즉 이른바 잠재성을 뛰어넘는 영역에서 부상하는 생각, 경험, 감각이다. 다른 표현을 써 보자면 물리력은 결과 및 측정 가능성과 연결되고 강렬함은 불확정성 및 정동(들뢰즈가 정의하는바)과 관계를 맺는다.

이를 염두에 두면 이 역량이 과연 '어디'에 위치하는지를 살펴보는 것이 흥미로워진다. 예술 작품 자체에 자리하여 약간의 익명성을 띠면서 개인적인 것이 개입되지 않은 비인격적 무관심 영역에 다다르거나, 더 이상적으로는 일종의 공공성을 획득하게 되는 것인가? 아니면 예술가 안에 자리하여 '퍼포먼스'나 예술가의 창의적, 개념적 활동을 통해 발휘되면서 '작품'에 예술가의 천재성의 징표를 남기는 걸까?

물론 미적 생산과 감상은 절대 명쾌하게 떨어지는 것이 아니지만 그럼에도 불구하고 실천 기반의 무용이 어느 쪽으로 기울어 있는지를 살펴보고 그 방향에 따라 책임과 책무성의 측면에서 나타날 결과는 무엇일지, 관람과 미적 감상의 측면에서 나타날 결과는 무엇일지 고려하는 건 의미가 있다.

실천 기반의 무용은 경험을 사유화하거나 심지어 관람객을 차단하는 소유권적 환경마저 만들어 관람객을 추종자의 위치로 격하시킴으로써 좀 난처한 위치에 이르게 되는 것 같다.

하지만 우리가 상황을 전환시켜 본다면 어떨까? 무대와 실천을 버려 두지는 말고 초월적 구조에 기대어 춤을 만들거나 발생시키되, 무대에 올랐을 때 말하자면 관객 혹은 '극장' 전체와 함께 실천할 수 있는 퍼포먼스를 만드는 것이다. 즉, 보기와 재현, 시공간의 세밀화, 사회적 약속, 전달자와 수용자의 견고한 경계 등에 있어 고착화된 전략을 보유하고 있는 극장의 장치를 흔드는 것이다.

다른 말로 하면, 극장의 장치를 따르는 듯한 환상을 만드는 한편 대안적 윤리의 가능성, 공동 서식의 가능성, 상호 보살핌의 가능성, 기타 가능성의 실천에 관객을 개입시키는 공연을 만드는 것이다. 다른 사회 생태계들의 가능성에 참여하는 그런 공연.

너무 단순한 도식이기는 하지만 명료함을 위해 만들어 보자면 이렇다. 연습실에서 '모두 함께'를 실천하려는 목적 때문에 공연 제작과 관람에 관한 초월적 모델을 외면해 버리면 그 실천을 무대로 데려왔을 때 아무것도 남지 않게 되므로(과장법이다), 공연을 만들 때 초월적 모델이나 인식을 활용하되 극장 안에 실천의 순간 혹은 함께 실천하기의 순간을 만들어 낸다면 어떨까? 관습적인 감상이나 판단의 양태들을 딱 용해시킬 만큼만 극장의 장치를 모호화하자는 것이다. 그리하여 관객이면서 개인이자 집단인 우리 또한 그렇게 주어진 상황을 위해 보기, 이해하기, 나누기, 존재하기의 양태들을 건설하고 구축할 수밖에 없도록. 이것은 초월성에서 내재성으로의 이행을 창출하는 것이며, 이때 내재성은 재원화 과정에 일찍이 포섭되지 않고 (들뢰즈적 의미에서) 잠재성으로서 갖는 견인력을 획득하게 되고 이것은 자크 랑시에르의 해방된 관객도 만족시킬 수 있는 변화일 것이다.

열린 방식의 관객되기를 실천한다는 건 무대로 올라가 노래하고 춤추거나 하는 식으로 참여를 하는 게 아니라 방식이 다른 관객되기의 실천을 의미한다. 아주 공고화된 보기, 해석하기, 공간에 함께 거주하기, 체험하기, 통제 내려놓기의 양식들을 벗겨 내고 다른 행동과 습관의 부상을 허용해 주는 일. 그러나 이를 위해서는 예술 작품 안에서 잠재성이 위치하는 곳을 파악해야 하는데, 그건 초월적 역량을 고집하여 비인격적 무관심 영역에 도달하지 못하면 해낼 수가 없다. 물론 그 대가로 정체성과 소속감, 인정과 승인을 지불하게 되겠지만 그로써 얻게 되는 것은 권력과 소유권을 용해하는 복잡성의 형태들이며, 이를 통해 관객 개인은 자기 자신에 대한 체험을 획득하고 스스로를 다양한 삶의 형태로 구성해 낼 수 있게 된다.[1]

## 2020년 10월 19일
## 예술은 정보가 아니다

상트페테르부르크의 한 미술관에 있는 그림에 대한 이야기다. 이 그림은 레닌의 여름 별장이었나, 여하간 '다차'라는 저택에 있는 응접실을 묘사하고 있는데 여기에 레닌의 아내도 혁명 정부 거물들과 함께 그룹 섹스를 하고 있다. 노골적인 묘사는 없으나 의심할 여지없는 난교다. 미국에서 온 관광객이 그림을 본다. 벽에서 '모스코바의 레닌'이라는 글귀를 보고 다시 뒤로 조금 물러나 계속, 계속 꼼꼼하게 살핀다. 셜록 홈즈와 같은 표정

1. 이 글은 실천 기반 무용 및 퍼포먼스에 관한 게오르그 되커(Georg Döcker)의 진정한 지식과 연구에 의존하고 있다. 그에게 감사를 표한다.

을 하고 여전히 혼란스러운 듯하다. 관광객은 (으레 그렇듯 지루해 하고 있는) 보안 직원에게 다가가 대화를 시도하며 묻는다. "죄송한데요, 아, 그, 레닌은 어디에 있죠?" 직원은 미소를 지으며 대답한다. "어디긴요, 모스크바죠!"

지금은 그림을 내렸을지도 모르겠다. 이런 기호학적 틈새는 항상 좀 우스꽝스러워진다는 게 슬프기는 하지만 미국 관광객과 보안 직원 모두 놓치고 있는 사실은 두 사람이 이 그림을 일련의 정보 모음으로 바꿔 놓았다는 점이다. 달리 말하면 이들이 회화 작품을 예술에서 문화로 바꿔 놓았다는 거다. 이들은 어떤 면에서 이 그림을 닫아 버렸고 그림은 전혀 새로운 판단 체계에 놓이게 된다. 이 그림은 의도한 바를 매우 명확하고 효과적으로 전달하였는가? 더 나아가 그 정보는 미술관을 찾는 이들에게 가치 있고 긍정적인 정보인가, 아니면 전달 내용의 부적절성 때문에 이 그림을 떼어 내야 하는가?

예술은 정보가 아니며 그래서도 안 된다. 생각해 보라. 정보를 전달하는 예술이라니? 편평한 사각형들을 벽에 거는 목적이 내게 정보와 계몽을 선사하는 거라면 내가 대체 왜 그 네모들을 보러 미술관에 가겠는가? 그리고 정말 그게 목적이라면, 다니엘 뷔랑의 진품과 복제품에 무슨 차이가 있단 말인가? 그러면 이자 겐즈켄의 작품은 허접쓰레기가 되지 않나. 바바라 크루거를 비롯한 수작들은 전부 말할 것도 없고.

예술이 만약 정보의 문제라면 예술가 열에 아홉은 아마 미용사나 다른 일자리를 구하는 게 좋을 것이다.

예술이 만약 정보의 문제라면 현대 실내악이나 스티브 라이히 같은 이들의 작품을 우리는 어떻게 이해해야 하는 걸까.

정보는 언제나 방향성을 지니고 우리에게 뭔가를 전해주며 그 일을 잘해야 한다. 정보는 젠더화된 화장실이나 사유지에 들어가지 못하는 문제, 그보다 더한 문제와 연결될 때도 많다. 정보는 이 세계의 크기를 줄인다. 이를테면 아무 표시가 없는 화장실 입구가 표시된 곳보다 풍요롭다. 비어 있는 1층 공간은 곧 KFC가 들어올 거라는 사실을 세상에 알리기 전까지는 하나의 기회다. 그놈의 닭.

예술이 할 일은 따로 있다. 어떤 대상의 가능성을 축소하는 것이 아니라 무엇이 될 수 있는지의 가능성을 증강시키는 것이 예술의 역할이다. 이런 의미에서 정보는 액체를 응고하며, 예술은 희석을 위한 테레빈유에 가깝다. 예술이 할 일은 뭔가를 얇게 만드는 것, 더 이상적으로는 불분명하고, 모호하고, 역동적이고, 예측 불허하게 만드는 거다. 한 가지 분명한 건, 정보의 의도는 절대로 우리가 꿈에 빠져들어 무아에 이르는 것이 아니었다. 베르크하인 클럽에서 엑스터시를 먹고 나서는 볼프강 틸만스의 사진처럼 멋진 것들을 보면 되는데 누가 거기서 『뉴욕 타임스』를 읽겠느냐 말이다.

자, 다음 장. 정보는 상식적으로 이해되고 쓰임이 있기 위해 존재한다. 예술의 역할은 그중 어느 것도 될 수 없다. 예술은 때로 나의 넋을 빼놓고 나는 거기에 흠뻑 빠져든다. 정말이지 정보는, 어휴 내가 어떤 정보를 사색해 본 적은 없다. 미안. 예술이 쓸모 있는 모든 것으로부터 거리를 둬야 한다는 건 두말할 필요가 없다. 그리고 다시, 단순한 차이를 말하자면 정보는 그 자체로서가 아니라 정보를 통해 명료화되는 대상 때문에 의미가 있다. 정보의 고유한 가치를 논할 수가 없는 것이다. 예술은 반대다. 예술은 전달하려는 바의 쓰임이 아니라 그 자체이기에 의미가 있다. 적어도 내가 예술을 보는 이유는 예술이 무엇을 해내는지가 아니라 무엇'인지' 때문이다.

이제 이를테면 회화, 작품의 맥락, 이를 둘러싼 실제와 상징에 무엇이 자리하는가에 대한 복잡한 차이를 파악해야 한다. 롤랑 바르트가 「저자의 죽음」이라는 글에서 제안했듯이 저자의 죽음처럼 중대한 사건은 우리가 저자의 이력, 정체성, 배경(예술 비평에 핵심적이었던 내용들이다) 대신 작품을 봐야 한다는 뜻도 되지만, 이를 반대쪽 끝에서 독해한다면 '천재'가 죽을 때 남는 것은 오로지 맥락, 정체성, 배경이라고 생각할 수도 있다. 물론 예술을 통해 무언가를 알게 된다는 건 좋은 일이고 멋지기도 하지만 그건 예술이 아니다.

관객들에게 뭐가 당면한 문제를 교육하려 애쓰는 전시야말로 정말 최악이지 않은가. 혹시 예술과 예술가에 대해 무언가를 배우겠다는 문제라면 괜찮을 수도 있겠지만 관람객에게 사회 상황 등등을 이해시키려는 그룹 전시와 미술사적 엄격함은 아주 큰 차이가 있다. 나는 사회 상황 및 그 이상의 수많은 것들을 알고 싶지만 그게 문제라면 뭐, 미술관과 콘서트홀, 공연의 무대가 다 배움의 장소인가? 예술이나 미학 같은 건 다 건너뛰고 다 같이 앉아 이야기를 하는 게 더 낫지 않을까? 뭔가를 알리고 싶어서 그 정보들을 약간 시적으로 포장해 놓은 예술이라니, 정말 최악이지 않겠느냐는 거다. 아아, 물론 나는 정보와 지식이 서구 인식론에 강력하게 새겨져 있다는 데 동의한다. 하지만 서구의 지식을 다채로운 시학으로 포장한다고 해서 그게 극복되는 건 아니다.

## 예술의 임무는 제도의 임무와 같지 않다.

예술의 임무는 예술가의 임무와도 다르다. 이를 혼동해선 안 된다. 예술가라는 사람은 당연히 다른 사람들처럼 이 세계에 책임을 진다. 그러나 예술가의 예술은 이 세계를 구하거나 구하지 못하거나 하는 문제에 대한 책무는 떠안을 수 없다. 좋은 예술이어야 한다는 예술의 역할은 타인이나 무언가의 투쟁을 받쳐 주기 위해서가 아니다. 예술가가 자신의 작업에 어떤 식으로 책무성을 갖는가의 문제는 다루기 어렵고 모호하지만, 예술가와 작업 간의 인과성을 건드리지 않는 것은 분명 중요하다. 안 그러면 예술가는 동정심을 가지고 착한 사람들과 착하고 좋은 예술만 만들게 될 수도 있다. 그러나 이 모든 얘기는 예술가가 창작 과정과 결과물을 관객에게 보여 줄지 여부의 결정권자이기도 하다는 걸 부정하는 건 아니다.

예술이 문화가 되어 버리고, 예술이 정보와 서비스가 되어 버리는 과정, 예술 전시뿐 아니라 예술과 전시의 체험 자체도 쓸모 있어야 하는 상황을 자꾸 되풀이해 겪으니 가슴이 무너진다.

당신이 베니스 비엔날레를 관람하고 떠나려는데 어떤 공무원이 설문지를 들이민다고 생각해 보라. 이 전시가 어떤 점에서 유용했나요? 이 전시가 어떤 점에서 무엇무엇에 대한 지식을 늘려 주었나요?... 정확히 무슨 일이, 무엇에 관해 일어나야 할까.

더욱이 예술이 정보의 문제라면 좋은 정보와 나쁜 정보는 누가 결정하는가? 예술가가 정부 부처에 전화를 하거나 점성술사에게 알아 봐야 하나? 예술은 정보에 걸려드는 순간 서비스가 되고 만다. 달리 말해 예술가에게는 정보 전달을 거부하고 예술을 고집해야 할 의무가 있으며 그래야만 예술은 자율권을, 이 세상을 완전히 변화시킬 잠재성을 지닌 그 자율권을 되찾을 수 있다.

### 2020년 10월 20일
### 생태계, 그치만 어떻게? 1

수년 전 슬로베니아의 사상가 슬라보이 지제크가 지적하기를 자신의 쓰레기를 분리하는 인간, 싱크대 밑에 무려 음식물 쓰레기 콤포스트마저 구비한 인간은 '기후 위기를 위해 할 수 있는 일'에 절박하게 주의를 기울이며 세상이 가라앉는다는 사실, 우리가 정말 어마어마하게 끝장이 나 버렸고 아무것도 이 상황을 개선할 수 없다는 빌어먹을 사실에 마비되지 않으려 한다. 아무래도 여기서 지제크의 정신 분석학적 배경이 너무 눈이 부시도록 과하게 발휘된 게 아닌가 싶다. 실제적인 트라우마를 감당하기 쉬운 대상으로 대체하는 것까진 좋다. 표면적인 뭔가에 100퍼센트 몰입하고 동참하지 않는 사람들에게는 영원한 지옥불의 저주를 내리는 것도 괜찮다. 아주 교과서적인 히스테리라 별로 복잡할 것도 없다.

요즘 TV 시리즈에 나오는 어떤 여자 캐릭터는 자부심을 가지고 다른 사람들에게 쓰레기 없는 제로 웨이스트의 삶을 밀어붙인다. 1년이 지난 후, 지구 파괴의 재앙에 맞서 그녀가 기여한 바를 다 합쳐도 아주 작은 유리병에 들어간다. 축하할 일이고 대단한 일이지만, 최소 상위 중산층에, 교육 잘 받고, 직업이 있는 싱글이 아닌 다음에야 포장 배달 금지, 유기농 상점 이용, 물티슈나 기저귀 금지, 커피 마니아들이 들르는 탄소 발자국 제로의 로스터리 카페에 내 컵 들고 가기 등등 이 모든 걸 할 시간이 어디 있겠나. 생태계 의식은 의심의 여지없이 특권이다. 다만, 가장 잘사는 10퍼센트의 인구가 기후를 파괴하는 화석 연료 배출 절반에 책임이 있고 하위 50퍼센트가 배출하는 건 고작 10퍼센트다. 그러니 제로 웨이스트 커뮤니티가 생각을 다시 해 봐야 하지 않을까?

비슷한 시기인 2008년 불황 직후, 지제크는 우리가—그 우리가 누구든 간에—이 위기의 심각성을 충분히 인지하지 못하는 게 문제라고 했다. 당시의 위기는 경제 위기였다. 오로지 경제. 지금은 상황이 좀 더 안 좋다. 모든 게 그놈의 위기 상태이고, 극소수의 사람이 극소의 행동을 취할 뿐이며 나도 그렇다. 변명의 여지는 없다, 우리 중 누구도 (개인으로도 집단으로도) 지금 우리 눈앞에서 벌어지는 일의 규모가 어떤지 제대로 가늠할 수가 없다. 어려울 거 없는 얘기다. 우리는 그냥 여러 위기의 심각성을 충분히, 정말 눈곱만큼도 충분히 느끼지 않고 있다.

지난 몇 년간 출판업계에 꽤나 끔찍한 상황이 벌어졌다. 예전에는 상황이 꽤 단순한 편이었다. 재미를 주자, 쉽게 읽혀야 한다, 뭐든 길고 치밀하고 지겹지 않아야 한다는 열망이 없는 제대로 된 학술서가 있었고 다른 한편에 대중 과학이 있었는데 (학문적 측면보다 저널리즘 쪽으로 가야 하긴 했지만 대중 과학 자체엔 아무 문제도 없으며 최상급 결과물도 드물지 않았다) 그 둘의 차이를 모르는 사람은 없었다. 대중 과학은 단순하게 말하면 네스카페였다. 번쩍이는 포장지에 담긴 쓰레기. 최근

에는 새로운 대상이 나타났는데 학술적인 정확성을 갖추는 듯
하지만 그렇지 않고, 그러면서도 대중 과학은 아닌 일종의 하
이브리드이다. 그러니까 이런 책들은 대부분 이런저런 교수들
이 집필하였으며 저자가 예외 없이 문제를 아주아주 개인적인
문제로 심각하게 받아들이고(안 그러면 절박한 문제가 아닌 거
다) 이목을 끄는 짧은 챕터들로 구성되어 있다. 언제나 '바로 그
중요한' 문제(저자가 언제나 당연히 갖고 있는 문제)를 확인하
는 데 1/3 정도가 할당되고 책의 나머지 부분은 우리가 6단계인
지 뭔 단계인지를 통해 이 문제를 해결하여 이 세계와, 우리 아
이들과, 저 사람들의 아이들과, 후세를 구할 수 있고 또 그래야
만 하는지를 개괄한다.

　　나는 이런 책들이 X나 싫고 요즘 서점(오프라인이든 디지털
이든)의 생태 문제 코너는 이런 책으로 넘쳐나고 있다. 또 이런
책들이 가진 공통점은 모든 것을 단순화하며 선정적이라는 것
이다.(저자가 영국의 좌익인지 덴마크의 포퓰리스트인지 미국
진보인지 그 외 자신이 선택한 또 다른 어떤 정체성인지는 상관
없다.) 이 책들은 인지 행동 테라피로 기능한다. 그 왜, 해로운
인지 왜곡의 공략과 변화, 행동 개선, 당면 문제 해결을 목표하
는 대응 전략 개발 있지 않은가. 오오오 공포다ㅡ게다가 이 책
들은 생태 문제를 인간 외부에 존재하나 그 잘못은 우리에게 있
는 대상으로, 자원의 재분배로 대처 가능한 문제로 변모시키며,
인간 삶의 영위 방식에 끼치는 영향은 사실상 전무하나 분배 형
태를 뜯어고치지 않으면 우리는 대단히 신속하게 전부 죽는다.

　　이제 지젝크는 모든 걸 반전시켜 이렇게 주장할 것이다. 우
리가 여러 당면 위기에 진지하게 대처하고 있는지를 가장 잘 보

여 주는 첫 번째 증거는 바로 우리가 익히 알아 온 삶이 끝나는 가, 끝나지 않는가 하는 점이라고. 인간으로 산다는 개념 그 자체가 변혁되어 공화당에서 민주당으로, 우익에서 좌익으로, 비욘세에서 케이티 페리 정도로 변하는 것이 아니라 쉽게 규정할 수도, 돌이킬 수도 없이 변화하는 것. 달리 말해 우리가 그런 상상조차 상상할 수 없었던 것으로 변화하는 것.

얼마 전에 한 친구가 말했다. 락다운과 코로나 바이러스의 1차 유행 후 가장 마지막에 문을 열 곳이 극장이라는 점이 사실 극장이 중요하지 않다는 충분한 근거가 되지 않느냐고. 심지어 문을 다시 열 만큼의 중요성도 없다니, 맙소사.

아무도, 특히 정치는, 극장에 전혀 신경을 안 쓴다. 정말 요만큼도. 그러니 극장에서 일하는 우리, 극장이나 공연 예술에 삶을 헌신하는 우리가 왜 계속해서 그렇게 열심히 정치적이고 급진적이고 사회 참여적이어야 하는가? 아니 정말 말이 되지 않는다. 아니면 극장이 생태 문제에 개입하는 방식은 창작하는 사람에게나 보러 오는 사람에게나 약간 쓰레기 분리수거와 비슷한 건가? 심지어 이 문제에 얼마만큼 관여하고 있는지도 안 중요하다. 정말 정말 참여적이고 엄청나게 열성적인 공연이라 해도 쓰레기와 비슷하다. 싱크대 밑에 두고서, 문만 열어 보지 않는다면 계속될 환상. 다르게 표현하자면, 쓰레기 분리수거는 아무리 철저히 실천한다 해도 우리 삶에 끼치는 영향은 있어 봤자 극도로 작은 수준이다. 그리고 나는 극장에 대해서도 똑같은 말을 할 수 있다고 생각한다. 극장에서 벌어지는 일은 극장에 남는다. 결국 그렇기 때문에 한정된 시간 동안 깜깜한 객석에 앉아 있는 기분이 그렇게 좋기도 한 것이다.

　　한편, 이런 시의성의 부재와 가망 없음이야말로 지금 이 순간 극장과 연극(과 춤)에 대한 참여를 너무나 설레게 만들어주는 건지도 모른다. 극장이 시의성을 결여한 만큼 극장(그리고 극장 안에서, 극장과 함께 일하는 우리들)은 원하는 것을 무엇이든 할 수 있다. 우리에게는 변호해야 할 것이 없고, 그러므로 리스크는 문제가 되지 않는다. 우리는 언제나, 모든 것을 걸 수 있다.

　　그러니 생태계와 기후 위기에 관해 퍽 관습적인 공연을 만들려고 무진장 애를 쓰기보다, 그러니까 비행기를 거부하고 의상은 재활용하며 세트가 없고 지구에 끔찍한 해를 끼치는 종이로 만든 프로그램도 인쇄하지 않으며 온라인상이나 난방 안 하는 공간에서 연습을 한 뒤 작업, 의사 결정, 저자성의 생태계를 바꾸고자 하는 퍽 관습적인 공연을 만들기보다, 여러 위기의 심각성을 진지하게 받아들이기 위해 우리가 진정 해야 할 일은 따로 있다. 극장이 무엇인지를, 또 무엇이 될 수 있는지를 변화시키겠다는 열망 정도는 담고 있는 그런 공연을 만드는 것이다. 파랑에서 빨강, 개념에서 소마틱, 메그 스튜어트에서 안느 테레사드 키에르스마커 정도로 변하는 것이 아니라 쉽게 규정할 수도, 돌이킬 수도 없이 변화하는 것. 달리 말해 우리가 그런 상상조차 상상할 수 없었던 것으로 변화하는 것.

2020년 10월 21일
포스트휴먼인지 뭔지

"엄마는 문제란 아직 찾지 못한 해결책일 뿐이라고 했어."

"그럼 너네 엄마가 바보야, 아직 못 찾은 해결책은 그냥 졸라 문제인 거 아니야?"

"그게 포인트잖아, 문제라는 건 없고 못 찾은 해결책만 있는 거라니깐."

"그게 문제잖아. 문제의 정의 자체가 그거잖아, 미치겠네."

"그럼 서로의 차이를 인정하고 얘기는 그만하는 것으로?"

아니 그런데 저기요, 둘이 정확히 무슨 차이를 인정하겠다는 건가요? 우리가 서로 동의만 한다면 문제든 해결책이든 필요 없는 거 아닌가요. 대박! 그렇다면 동의한다는 개념 자체가 결국 균일화와 억압 아닌가. 반대할 여력이나 권한이 없는 사람에게. 동의와 합의 뒤에는 언제나 금전 거래가 있는 반면, 이해라는 건 계속되는 교류에 기반해 만들어지는 것 같다.

어찌됐든, 저런 식의 수사로 논의에 펑크를 내는 사람들은 참 끔찍하다. 그런 사람들이야말로 머저리나 개자식으로 불려야 한다. 지랄 맞은 수동 공격성. 저 몇 마디 말이 저속한 형태의 소유권 문제로 느껴지는 건 나뿐인가. 울타리 양편에서 목이 터져라, 아무도 기억 못 할 시빗거리를 두고 싸우는 미국 남자들처럼. 무슨 말인지 이해되는가?

상상력의 경계를 고찰하는 것이 더 즐겁다. 상상력이 언어 안에 위치한다면 우리는 언어가 허락하는 것만을 상상할 수 있다는 뜻 아닌가? 그렇다면 상상은 재현의 영역 안에, 우리가 이미 인식할 수 있는 것 안에 머무르게 된다. 안타깝지만 내 생각엔 바로 그것이 상상력을 하찮고 안쓰럽게 만들고 있다. 어쩌면 사람은 언어가 동의해 주는 것만을 상상할 수 있고, 거기서 최대로 급진적인 결과물이라고는 미해결의 '차이 인정'인가 보다. 망했다.

한편, 상상력이 그 어떤 형태의 경계도 없고 완전한 통제 불능의 진짜 야생이라면 상상력을 찾아내고, 규정하고, 논의하는 건 어려워진다.

미국인들이 또 하나 잘하는 게 뭔가를 밀어붙이고 경계를 짓는 거다. 이런 활동은 실용적일 수는 있겠으나 사물을 사소하고 단순하게 만들며, 다시 한번 여기서도 사유 재산의 킴새가 풍긴다. 경계가 있다는 건 소유권도, 저자성도 존재한다는 뜻이다.

상상력은 과연 문제일까, 아직 못 찾은 해결책일까 궁금한 사람도 있을 것이다. 상상력이 경계선을 지니고 언어에 기반한 것이라면 그건 그냥 상상력이 아닌 것이다. 그렇지만 상상력이 전혀 얽매여 있지 않다면 삶과 세상의 나머지 부분을 상상력과 구별할 수 없을 것이다.

"생각의 틀을 벗어나야 돼요" 같은 말을 하면 기분이 좋다. 상상력이 스스로의 한계를 초과하는 지점을 만드는 건 불가능하다는 걸 알면서도 말이다. 상상도 할 수 없는 대상이 아니면 틀 바깥에 뭐가 있는지는 신경 쓸 필요 없다. 상상이 되는 대상이라면 '바깥'은 그저 또 다른 틀의 내부인 거니까.

좀 다르지만 연관되는 또 한 가지 질문은 상상력이 하나의 존재냐, 아니면 일종의 실천, 즉 관계성이냐 하는 것이다. 하지만 여기서 골칫거리는 무엇이냐면, 실천이란 무언가와 관련성을 맺으며 자리 잡아야 하고, 무언가라는 것이 이 세계 안에 표상을 획득하려면 실천이 되어야 한다는 점.

상상은 한번 건드리면 걷잡을 수 없어지지만, 그래도 일단 우리가 알 수 있는 사실은 상상이 만약 언어에 기반할 경우 이미 정해진 사유와 고찰의 가능 범위를 넘어설 수 없다는 거다. 그 말은 곧 상상력이 언제나, 우리가 인간으로 존재하는 방식을 적어도 간접적인 방식으로는 지탱하거나 강화한다는 뜻이다. 그러므로 우리는 세상이나 삶이 영위되는 방식을 바꾸기 위해 상상력을 사용할 수 없는 것이, 우리가 아무리 많이 상상한들 그 상상은 여전히 이 세계와 이 (지금의) 영위 방식에 기반하고 거기에서 도출되기 때문이다. 따라서 상상이 언어에 부착되지 않다고 생각해야만 상상을 활용하여 다양한 삶의 방식, 인간을 인간으로 확인하지 않는 삶들을 철저하게 구성해 내는 것이 가능해진다. 유일한 문제, 사실 큰 문제일 수도 있는 문제는 우리가 인간으로 남아 있는 한 그게 뭔지 상상해 낼 수가 없다는 점. 상상 못 하는 걸 상상하는 건 불가능한데 우리가 상상함을 상상해야 하는 대상은 그래도 이것이다. 제기랄!

자, 그럼 이 뒤죽박죽 안에서 예술이 가진 기회와 책임은 무엇일까? 언어가 동의해 주는 바와 결부된 상상력을 '이용'하는 게 예술의 임무라면 예술 창작은 전략이자 계산, 최악의 경우 건방진 허세에 불과하게 된다. 만약 그렇다면 예술 창작, 좌우간 예술이라는 건 윤리적인 영향을 우회할 수 없다. 그 점에서 예술은 속속들이 관계적이어서 그 자체로는 아무 가치를 못 갖게 된다. 반대로 만약 예술이 분방하고 야생스런 상상에 닿아 있다면 필히 신비주의, 영성, 보편주의를 피해야 한다. 상상이 언어와 관계를 맺는 한 예술은 진리와 문제를 일으킬 일이 없고 언어는 결국 수행적이다. 상상력이 '그 너머'로 이동하는 순간, 본질과 진리 같은 것으로 귀결되지 않기란 꽤 힘들어진다. 백인 이성애자 남성 근대주의로 귀결되지 않기도 힘들다. 이런.

포스트휴머니즘은 포스트휴먼과 아무런 관계가 없다. 휴머니즘 이후나 휴먼 이후와도 관계가 없으며, 사람이나 어떤 대상이 인간적인가 하는 문제와도 당연히 무관하다. 인간적인 모습이란 건 기본적으로 그냥 배려심이 있고 착하다는 말이다. 물론 언제나 윤리적인 고민을 함의하기에 그렇게 단순한 문제는 아니지만 말이다. 이를테면 좌익을 향한 내 이해심은 우익을 향한 이해심을 상쇄하나? 내가 이 사람에게 착한 이유는 그게 이 사람에게 좋기 때문인가, 그게 나를 인간적인 사람으로 느끼게 해주기 때문인가? 인간적인 모습이 언제나 관대함을 뜻하는 건 아니며 계산적, 경제적, 상징적, 실제적인 경우도 그만큼 잦다.

포스트휴머니즘의 의미에서 포스트가 함의하는 것은 PTSD라든가 전후 시대 등을 말할 때의 '이후'라는 뜻보다는 모종의 자기 반영성이다. 휴머니즘이나 모더니즘이나 인터넷이 자신의 조건들, 세계 안에서의 존재, 임무, 윤리적 복잡성, 관계적 복잡성을 스스로 관찰, 점검하는 능력을 발달시키는 순간을 포스트라고 할 수도 있겠다. 조금 바보 같은 예일지도 모르겠는데, 정신 분석학자와 상당량의 상담을 한 이후의 무언가가 바로 포스트이다. 그 왜, 트라우마에서 한 발짝도 벗어나지 못하지만 그 트라우마를 이해하고 그 영향을 성찰하는.

포스트휴머니즘은 비휴머니즘도, 반휴머니즘도 아니고 휴머니즘이 스스로를 성찰할 능력을 개발하는 순간을 가리키며, 휴머니즘이나 포스트휴머니즘은 당연히 인간적이냐 인간적이지 않냐의 문제와 전적으로 무관하다. 전체적으로 휴머니즘은 사상 최악의 비인간적 세계관 가운데 하나로 간주되어야 한다. 휴머니즘이 눈 하나 깜짝 안 하고 보증해 준 것들을 나열해 보면 이렇다. 식민주의, 노예제, 채굴주의, 일본 및 서구 중심의 세계, 가부장제, 그 외 수많은 어둠. 그리고 자본주의, 맙소사.

내가 우주를 향한 최선의, 깔끔한, 너그러운 접근법은 아닐 수도 있다는 것 정도는 깨우친 휴머니즘이 바로 포스트휴머니즘이다. 그 깨우침에 축하를 보낸다. 그럼에도 불구하고 포스트휴머니즘은 인간의 역량, 우리가 존재하는 이 방식의 인간성에 뿌리를 둔 사고 체계이기도 하다.

포스트휴먼은 또 완전히 다른 문제이며 훨씬 더 까다롭다. 그 이유는 일단 여기서 '포스트'가 온갖 방향을 가리킨다는 점이다. 그럼에도 어쨌든 첫 번째 지점은 우선, 포스트휴먼이 로봇이나 괴물(다는 아니어도 대부분의 괴물, 이를테면 귀신)과는 관련이 전혀 없고 있어 봐야 눈곱만큼이라는 것이다. 인간이나 인류가 자기 자신을 둘러싼 입장, 자신의 관계 및 환경을 성찰할 수 있게 된 순간을 명시하는 것이 포스트휴먼이라고 보는 관점이 있다. 인류가 '이런 식의 인간되기란 우발적으로 가능한 여러 옵션의 하나일 뿐'임을 파악할 수 있게 된 순간 같은 것. 이런 식의 인간되기에 토대가 있는 것이 아니며 운명도, 경로도, 이유 등등도 없는 우발적 결과라는 점을 파악할 수 있게 된 순간 같은 것. 포스트휴먼적 조건이란, 인간이 이 세계 안에서 행하는 바에 대한 자기 성찰 능력을 발달시키는 상태를 말한다.

포스트휴먼에 관한 또 하나의 관점은 피와 살이 아니면서 그렇게 보이는 것을 전부 포스트휴먼으로 간주하는 것 같다. 이에 따르면 영화에 나오는 터미네이터는 포스트휴먼일 텐데, 그 '남자'인지 '그것'인지 '그들'인지 모를 그 존재가 과연 그럴까. 그 창조물도 결국은 자신이 귀여운 인간이 됐을 때 느낄 양심과 연민을 자랑하기 위함이 아니었나. 한심한 영화에 나오는 거든 뭐든 터미네이터는 정확히 인간이 되기 위해서, '우리'처럼 인간되기를 실천하기 위해서 만들어졌다. 일차적인 층위에서 로봇-존재가 위협이 되는 이유도 바로 그것이다. 인공적인 존재가 '우리'와 지나치게 비슷해질 때 우리의 인간되기 방식은 그 유일무이함이든 특별함이든 방향성을 잃게 되는데 그것이 위협이 된다는 얘기다.

당신이든 누구든 이두박근에 '인공'이라는 문신을 했다고, 기계로만 만든 테크노 음악에 집착한다고 해서 포스트휴먼이 되는 것은 아니며, 심지어 폴리머 소재로 된 옷만을 고집하거나 머리 어디를 밀었다고 해서 포스트휴먼이 되는 것도 아니다. 짜릿함을 줄 수도 있고 가치 있는 실천일 수도 있으나 결국은 그런 것들이 도리어 우리 방식의 인간되기를 승인하거나 무려 강화하게 되지는 않나 묻게 된다. 리얼함의 증거로 기능했던 90년대 트라이벌 타투와 크게 다르지 않다. "나의 트라이벌 타투를 보면 내가 존재함을 느낀다, 이건 영구적이다. 색소의 감각을 떠올리면 고양된 현존감을 느낄 수 있다. 살아 있다는 느낌을 준다."

뭐가 됐든 이런 실천들은 (관두라는 얘기는 전혀 아닙니다) 기껏해야 경계에 관한 실험이다. 통념과 관습에 관한 인식과 긴장을 만들어 내지만 그 시발점은 언제나 이분법이다. 시위와 다르지 않다. 이런 실천이 가능해진 이유 자체가 정확히 무언가 '맞서야' 할 것, 저항할 것이 있었기 때문이다.

포스트휴먼이 훨씬 복잡한 이유는, 우리가 존재하는 방식의 인간되기로부터 거리를—완전히—둔 채 인간되기를 실천한다는 의미이기 때문이다. 우리가 아는 바에서 도출된 결과, 언어 안에 머무르는 상상에 기반한 결과일 경우 엄밀히 말해 그 실천은 포스트휴먼으로 간주될 수 없다. 어떤 실천이나 존재 형식의 생성이 기존의 실천과의 관계 속에서, 혹은 기존의 실천과 긴장을 만들며 나타날 경우 마찬가지로 그 실천이나 존재 형식은 포스트휴먼이라고 할 수 없다.

포스트휴먼은 인간이기를 멈추는 것이 아니며, 비-인간이 되는 건 또 다른 문제고 어쩌면 그게 더 쉬울 수도 있다. 포스트휴먼은 우리가 '인간'으로 '존재'하는 방식 안에서 확인 가능한 실천과는 우발적으로 다른 휴먼이 된다는 의미다.

그러므로 포스트휴먼은 문제의 일부도, 아직 발견하지 못한 해결책의 일부도 아니다. 포스트휴먼을 둘러싸고 인정해야 할 서로의 차이란 없으며, 비록 모든 형태의 포스트휴먼적 존재가 경계 안에 포섭되어 있긴 하나 우리가 익히 아는 삶을 지배하고 지탱하는 경계들은 그 (수위가 아니라) 종류가 뚜렷하게 다른 경계들이다. 다시 말해 포스트휴먼적 실천과 삶과 존재는 우리가 접근, 상상, 산출할 수 있는 실천과 삶과 존재에 우발적으로, 또는 비개연적으로 의존한다. 그 점에서 우리는 그 어떤 포스트휴먼적 역량이라도, 그 어떤 엄격한 포스트휴먼적 실천이라도 윤리, 더 나아가 정치학을 결여한다고 결론 내려야 한다. 포스트휴먼적 조건은 사실 우리가 아는 인간 조건과 불일치할 수 있다. 왜냐하면 포스트휴먼적 조건의 등장은 진정한 포스트휴머니즘을 위해, 휴먼임이 '한때' 함의했던 것들을 뿌리까지 뽑아 버리기 때문이다.

그런데 예술이라는 게 정확히 다 그런 것 아니었나. 즉, 가망 없는 불가능성 속에서도 포스트휴먼의 조건들이 부상할 가능성을 만들어 내는 것 말이다. 예술의 책임은 이곳을 더 나은 세상으로 만들거나 세계를 비평하고 의문시하는 것이 아니라, 그 세계를 끝맺는 것이다. 우리가 익히 아는 세계를 말이다. 끝.

## 2020년 10월 22일
## 생태계, 그치만 어떻게? 2

두 종류의 문제가 있다. 가짜 문제랄까 사소한 문제는 주어진 해결책 중에 하나를 찾아 쓰면 되는 문제들이다. 아이들을 누가 픽업할 거야? 당신이냐 나냐, 돌봄이냐, 할머니냐, 경찰을 부르자, 우리가 깜박한 척하자, 아니면 그냥 우리 다 같이 경찰까지 데리고 픽업 가면 안 되나? 사소한 문제는 결코 진짜 문제가 아니며 계산과 최적화의 문제일 뿐이다.

진짜 문제, 혹은 실질적인 문제는 주어진 해결책이 안 나와 있는 문제들이다. 그냥 풀 수가 없는 문제. 해결책을 아직 못 찾아서가 아니라 찾을 해결책이 없기 때문이다.

진짜 문제가 흥미로운 이유는 뭘까?

선택지가 하나 있다. 두 개일 수도 있다. 첫째, 우리가 진짜 문제에 봉착했음을 깨달았을 때 그건 제쳐 두고 흔하고 평범하고 사소한 문제로 돌아가 보도록 하자. 사소한 문제들은 우리가 상황을 통제하고 있다는 안정감을 준다. 사소한 문제는 정치적인 문제라고도 말할 수 있으려나?

　　"교육 예산을 늘리고 교사의 월급을 더 올려야 합니다!"
　　"문제없어요, 그럼 ○○ 세금을 늘립시다... 아니면 예술 지원금을 줄여 보지요...."

아니면 반대로.

　　"□□ 세금을 줄여야겠습니다!"
　　"문제없어요, 교육 예산을 줄여 봅시다!"

정치의 역할은 일이 굴러가는 방식을 변화시키는 것이 아니라 그저 흐름을 유지하고 모든 것이 상식적으로 약간 말이 되는 정도까지 만들어 놓는 것이다. 공동체에 관한 규제와 통제를 유지한다는 의미에서 정치의 역할은 경찰력의 유지다.

　　정치인에게는 두 가지 임무가 있다. 첫째는 경찰력을 유지하는 것, 둘째는 이 유지 작업이 폭망할 경우 그 책임을 떠안는 것이다. 정치인들이 위험 부담 없는 플레이를 하고 편집증처럼 보이는 게 이상한 일이 아니다.

　　둘째, 진짜 문제들은 해결되라고 있는 게 아니다. 진짜 문제의 의미는 바로 그 고생과 분투, 문제가 끈질기게 이어진다는 데 있다. 진짜 문제란 해결책이 없어야만 진짜로 진짜 문제다. 해결책이 정말 하나라도 나타나는 순간 그건 사소한 문제가 된다.

또 다른 측면은, 사소한 문제는 자기 외부에 끼치는 임팩트가 전혀 없다는 점이다. 사소한 문제는 우리의 정신적, 사회적, 실제적 환경에 돌이킬 수 없는 결과를 만들어 내지 않는다. 진짜 문제는 아예 다르다. 우리가 살고 있는 맥락이나 실제 안에 아무런 해결책도 나와 있지 않다고 생각해 보자. 우리가 그럼에도 해결책을 찾을 각오가 되어 있다면, 그건 '우리'가 현실을 바꿔야 한다는, 삶을 결정하는 상황들을 변화시켜야 한다는 뜻이다. 아니면 마치 동전의 앞뒷면처럼 진짜 문제의 해결책을 향한 탐색의 결과로 현실이 피치 못하게 바뀌게 되는 것인지도 모른다. 이것이 사실 꽤 설레기도 하고 겁이 나는 이유는 불확정적 형태의 변화, 우리가 알아온 바와는 개연성이 없는 우발적 변화가 시작될 거라는 데 있다. 달리 말해 도대체 우리가 뭘 향해 가는 건지 감이 안 잡힐 것이다.

그렇기에 진짜 문제는 정치적이지 않다. 협상이 불가능하다. 약간 이런저런 정도, 더 좋고 더 나쁜 정도가 아니라 아주 가차 없이 완벽하게 모 아니면 도다. 그래도 우리는 어떤 가차 없음인지 모른다. 결과는 결국 우발적이거나 막연할 텐데 그게 지극히 평범하거나 통상적일 수도 있다는 얘기다.

어쩌면 이때 우리는 세 번째 문제, 혹은 새로운 문제에 이르렀음을 깨닫게 되는지도. 좀 기이한 결론, 아니면 뻔한 결론은 진짜 문제들은 제기, 판별, 확정이 불가능하다는 것이다. 재현을 획득하는 개체는 재현에 '충실'해야 하고, 그렇기 때문에 동일한 재현 질서에 아직 새겨지지 않은 개체를 가리키거나 지정할 수 없다.

이 배치를 뒤집는 것도 하나의 선택지가 될 것이다. 해결책이 없는 진짜 문제 대신, 우리가 적절한 문제를 명시해 주어야 할 새로운 해결책이 '있다'고 상정해 볼 수 있다. 이와 같은 해결책은 미래에서, 어쩌면 도래할 것의 징후와도 같이 오기 때문에 적확한 문제를 구성한다는 건 이 징후를 실제화한다는 의미를 내포한다. 사소한 문제는 이미 주어져 있으니 문제 하나를 구성하는 건 쉽겠지만 어려운 건 적확한 문제, 즉 해결책을 진지하게 대하는 문제를 구성하는 것이다. 우리 삶의 영위 방식에 미치는 파급 효과들을 기꺼이 받아들이고 꼼꼼히 짚어 봐야 한다는 것이다.

이 지점에서 나는 조금 조심스러워진다, 뭔가가 미래에서 도착한다는 생각이 너무 좀 키치적인 거 아닌가? 징후 역시, 내가 생각해도 너무 정신 분석학적이지 않나 싶다.

회복 탄력성 개념이 점점 빈번하게 등장하고 있다. 오늘날 사회에서 우리는 일상의 난관과 전반적인 개수작에 대처하기 위해 회복 탄력성을 필요로 한다. 회복 탄력성이 높으면 삶을 헤쳐 나가는 것도, 뭘 가능케 하는 것도 쉬워지지만 이 개념이 전적으로 사회의 힘, 그러니까 경제적 이해관계에 포섭되었다는 관점도 가능하다. 싱글맘이 일자리 세 개, 유치원, 육아, 살림을 해 나가려면 회복 탄력성이 무진장 많이 필요하다. 예술가가 끝없는 단기 계약과 지원서, 부업, 육아, 기동성, 커뮤니티, 사회 참여, 화려함 등등을 헤쳐 나가려면 흘러넘칠 정도의 회복 탄력성이 필요하다. 회복 탄력성은 프레카리아트에서 부정적인 뉘앙스만 뺀 단어일 뿐이다. 회복 탄력성을 갖춰라, 신자유주의가 당신을 사랑할 것이다.

문제와 관련지어 보자면 회복 탄력성은 가짜 문제에 특화되어 있다. 회복 탄력성은 그 무엇에서든 해결책을 찾아내고 조합, 역학, 융통성의 달인이며 저항이라는 개념에 무지하다.

아직 진짜 문제를 포기하지 않고 붙들고 있다면 회복 탄력성은 선택지가 될 수 없음을 우리는 알게 된다. 정작 필요한 것은 치사량에 가까울 만큼의 끈기, '쟤 뭐래니' 하는 마음가짐인데 이건 그냥 고집이나 집요함의 레벨을 뛰어넘는 것이다. 이를테면 이런 거다. 어림도 없지, 내 눈에 흙이 들어가기 전엔 안 되고, 들어간 후에도 영원히 안 돼.

사소한 문제는 솜사탕이나 바디로션처럼 매력적이고, 사소하지 않은 진짜 문제는 스펙이 전혀 다르며 끈질긴 인내를 요한다. 바로 이 끈기라 할 만한 것을 통해서 전혀 다른 무언가가 등장하게 되는 것이다.

가짜 문제들은 동의나 수용을 하며, '조금'만으로도 충분하다거나 나의 작은 기여나마 의미가 있다고 주장한다. 사소한 문제는 문제될 게 없다. 반면 진짜 문제는 그냥 안 먹힌다. '잔뜩'도 충분하지 않다. 진짜 문제는 모 아니면 도, 중간이 없는 양자택일이며 철저하게 무조건적이다.

그럼 생태 문제에 관해 당신은 어떤 사람이고 싶은가? 사소한 문제, 아니면 진짜 문제? 회복 탄력성, 아니면 끈기? 세계 종말을 20분 지연시킬 약간의 $CO_2$ 감소로 괜찮은가? 아니면 당신이 작동하는 방식, 삶을 꾸리는 방식을 바꿀 준비가 되었나? 이 세계와 미래 세대들의 세계에 활기를 주기 위해 그 방식을 뭘로 바꿔야 하는지 모른 채여도? 당신이 힘을 보탤 그 세상이 인간 없는 세상일지라도?

그럼 예술 창작의 문제에 관해 당신은 어떤 사람이고 싶은가? 예술은 가짜 문제인가 실질적인 문제인가? 융통성인가 양보 없음인가? 다원적인가 매체 특정적인가? 당신이 예술을 만드는 이유는 환경의 생태적 안녕에 조금 기여하기 위한 것인가, 아니면 당신은 예술과 끈기의 관계가 하나의 가능성으로서 진짜 문제와 진짜 해결책이 부상할 수 있는 공간을 명료화해 줄 거라 생각하는가?

## 2020년 10월 23일
## 셜록 홈즈의 바이올린

셜록 홈즈는 왜 바이올린을 켜야 하는가? 지역 교향악단에 들어가고 싶었던 음악 애호가일 뿐이었을까, 아니면 바이올린이 엄마의 부재와 같은 어릴 적 트라우마를 달래 주기라도 했던 걸까? 에이, 둘 다 아니다. 하지만 바이올린은 그의 활동에 필수적이고, 말도 안 되는 범죄 사건을 해결하는 그의 능력의 핵심이다. 바이올린은 더도 아니고 덜도 아니고 하나의 개념, 그가 생각을 멈추고 미결정성이 떠오르도록 삽입하는 장치이다. 막다른 골목에 이르렀을 때 그는 이성, 추론, 결론의 렌즈로는 안 보이는 것을 보기 위해 바이올린을 필요로 한다. 응시하는 자신의 시선을 완화시키기 위해, 인간이기를 멈추기 위해 그에게는 바이올린이 있어야만 한다. 그가 바이올린의 '눈'을 통해 세상을 보려 한다거나 그럴 수 있다는 게 아니다. 전혀 그렇지 않다. 그는 다만 바이올린과 함께 분위기를 타면서, 바이올린이 목적도 모른 채 자신의 권한성을 전달하도록 놔둬야 한다. 개념이란 하나의 기계로서, 그 안에 인과성을 탈구시키는 역량을 지닌다. 이는 비인간적 주체를 통해서만 발생 가능하다.

질 들뢰즈가 후기 근대 및 후기 구조주의 사상가 중에서 관계론적 사상가라는 입장은 너무도 빈번하게 제기되어 왔다. 현상학을 따라 계속 가면 분명 다른 길로는 빠질 수 없다. 세계는 곧 그 관계들이고 세계를 탄생시킨 순간이나 기원 같은 건 없다. 가치는 관계적, 상대적이다. 들뢰즈에 대한 생각이 이렇게 틀리기도 힘들다. 그의 작업에서 변혁이 핵심적인 건 사실이지만 '되기'는 알려진 대상에서 알려진 다른 대상으로의 변화도 아니고, 알려진 것에서 알려지지 않은 것으로의 변화도 아니다.(이것은 부재라고도 인식 가능하다.) '되기'는 오히려 어떤 것(something)이 어떤 사물(some thing)로—우발적으로—변화하는 것, 그러니까 관계망에 새겨진 무언가가 관계성 없는 사물로 변화하는 현상으로서, 오히려 관계의 결여가 있어 가능해진 존재이면서 겉으로 드러나지 않은 존재다. 들뢰즈의 '되기'를 설명하는 또 다른 방법은 현실에서 내재성으로, 또 어떤 면에서는 거꾸로 돌아온다는 설명이다.

대륙 철학, 비평 이론, 마르크스와 관련된 모든 관점이 사실상 이 점을 일관되게 무시해 왔는데 그 이유는 (서로 조금 상이할 수 있으나 어찌 됐든) 자신들의 근본 전제를 약화시킬 것이기 때문이었다. 후기 구조주의가 그야말로 자기 신발에 똥을 싸지 않기 위해, 들뢰즈는 관계론적이라는 주장을 해야만 했다. 한편 들뢰즈의 추론은 내재성이나 잠재성을 고집해야만 철학이 조금이라도 진리와 관계를 맺을 수 있다는 것이었다. 무언가 공고히 하는 진리가 아니라 언어나 재현과 충돌했을 때 틀림없이 둘 중 하나로 용해 혹은 잠식되는 (어찌됐든 같은 결과다) 생성, 창출의 진리지만 말이다. 그러나 신기하게도, 진리가 현실로 포함되는 것이 아니라 그 반대다. 진리에 부합하는 성질을 지니기 위해서 오히려 현실이 변화해야 하는 것이다. 관계망에 새겨지지 않은 현실 내부에는 아무것도 존재할 수 없기 때문, 혹은 존재해선 안 되기 때문이다. 반면 무언가 진리가 되려면 관계를 지닐 수 없는데, 관계를 지닐 경우에는 각각의 관계가 상이하므로 진리가 진실될 수 없어지기 때문이다. 현실은 붕괴를 피하기 위해서 우발적인 변혁을 통해 진리와 모종의 관계를 확립하려 할 테지만 관계가 확립되는 순간 진리는 자신의 존재를 잃고 언어에 잡아먹힌다. 들뢰즈는 진리란 오로지 생성되는 것이지 확립될 수는 없다는 걸 알고 있다. 이로써 그는 공고화하는 철학자가 아니라 생성적인 철학자이지만, 또한 관계성의 문제를 인식하고 존재에 신념을 둔 철학자, 어쩌면 더 훌륭하게 리얼리즘에 신념을 둔 철학자가 된다.

들뢰즈에게 있어 진리란 생산할 수 없는 것임은 두말할 여지가 없다. 생산은 언제나 방향성이 있는 것, 이미 알려져 있는 것이기 때문이다. "나는 전혀 모르겠어"를 생산하는 건 애초에 성립하지 않는다. 그렇지만 들뢰즈는 특정 상황하에서 생산의 가능성을 생산하는 건 가능하다고 제안하는데, 당연히 장담할 수 있는 건 없다. 이러한 가능성의 생산은 선형적이거나 확률적일 수 없고 우발적이어야 하는데, 그렇기 때문에 들뢰즈는 가능성이 발생할 수도 있게 하는 역량을 도입해야 하는 것이다. 이 역량은, 도구라면 언제나 목적지를 알고 있을 테니 도구는 아니고 기계적 아상블라주, 혹은 개념으로 알려져 있다. 개념은 불확정성 기계이며, 자기 스스로에게도 불확정적이어야만 한다.

지식은 수행적인 반면 존재는 그렇지 않다. 지식은 상대적인 반면 존재는 참이다.

지식을 생산한다는 건 어떤 의미일까, 혹은, 지식 생산에는 어떠한 함의가 있을까? 수업에 참여하거나 배우는 것은 지식 생산과 아무 상관이 없으며 기존에 확립된 지식을 소유하는 수단이다. 교육은 지식 생산과 정반대에 있다. 교육에서는 아무런 생산도 일어나지 않으며 학생이 하는 일이라고는 여러 패키지로 준비된 지식을 소비하는 것밖에 없다. 예술 교육이나 창작 교육도 마찬가지다.

지식 생산의 개념이 최소한의 의미를 가지려면 예전에 존재하지 않았거나 불가능했던 지식의 만듦이나 창조를 지시해야 한다. 결과적으로 지식 생산은 결국 새로운 것을 존재케 하고자 한다. 지식인 동시에 아직은 결코 지식일 수 없는 무언가를.

우리가 알 수 없는 것을 의지나 확정성을 통해서 생산할 수는 없으므로 지식 생산은 불가능해 보인다. 따라서 지식 생산에는 장치가 필요하다. 우리가 이해한바 이 장치는 개념이라고 알려져 있다.

지식 생산에 관여한다는 건 존재에의 관여를 시도한다는 것이다. 지식 생산에 관여한다는 말에는 진리 생산의 가능성에 관여한다는 의미를 내포한다. 지식 생산에 관여한다는 건 더 나아가 인류에게 낯선 어떤 권한성을 호출한다는 의미다.

그렇다면 이것은 예술 및 미적 체험과 어떻게 연관되는가? 예술은 상당 부분 지식에 연결되어 있으나 예술이 미적 체험과 동일하지는 않다. 예술이 '고작' 지식이 되는 순간 예술은 서비스로 화하고 미적 체험은 무화된다. 지식은 일관적, 인과적, 지속적이며 신뢰와 소유가 가능하다. 미적 체험 혹은 예술과의 조우는 이와 좀 달라서 이성과 인지와 결론을 넘어서며 바이올린과 분위기를 타는 일이고, 달리 말해 보자면 미적 체험이란 비인간적 권한성의 개입을 받는 것이다. 비인간적 권한성은 지식일 수 없고, 그렇기에 존재여야 한다. 미적 체험은 진리와의 생산적 조우다. 미적 체험의 발생이 가능해지려면 예술 생산 면에서나 예술의 체험, 관람 면에서나 하나의 장치, 실로 하나의 불확정성 기계가─개념이─요구된다. 미적 체험은 낯선 주체와 연계된다는 의미를 담고 있다. 아직 미처 인간(적)이지 않은 무언가, 그것과의 관계를 전혀 확립할 수 없으나 여전히 있긴 있는 무언가, 그것에 관여하는 것이 미적 체험이다. 이렇게 '미처 살아 있는' 모든 것이 존재이며 존재란 언제나 생경한 것이다.


2020년 10월 24일
나는 곧 떠나야 해


상상이라는 단어도 의미가 딱 하나뿐인 것 같다. 속임수라는 말처럼, 언제나 나쁜 뜻이다. 웃음이라는 단어는 대부분 좋은 것 같다. 좋다, 웃음은. 하지만 상상은 좋을 게 뭐가 있나? 아니 어쩌면 더 중요한 질문은, 세상 그 무엇이라도 될 수 있는 상상이 어떻게 좋을 수가 있겠는가? 게다가 상상에 언제나 딸려 오는 것이 확장이다. 상상은 세상보다, 내 방구석이나 TV보다 더 커다랗다.

　옛날에는 아이들에게 상상의 친구들이 있었다. 너무 귀엽지만 그래도 부모들은 상상력이 지나치게 풍부한 아이들을 걱정스러워 했다. 그 친구들은 어떤 전반적인 결핍에 기반하고 있었고, 상상은 심심함을 해결하는 한 가지 방법이었다. 그리고 물론 확장된 무언가이기도 했다, 나무로 만든 총 같은 것.(대단한 확장은 아니겠다.) 어쨌든 그때는 이 세상 무엇이든 아무거나 될 수 있어서 솔방울이 서부 황야의 말도 될 수 있었다. 인터넷이 등장하면서 솔방울은 잊혔을 것이고, 상업적 플랫폼들과 게임 내부에서 이뤄지는 소비들이 자리를 차지했다.

미국의 상상력이 딱히 나를 사로잡았던 적은 없다. 이를테면 디즈니 같은 것도 상상력이 너무 가득해서 나는 숨이 막힐 것 같아 창문을 열지 않고는 견딜 수 없다. 템포도 너무 빠르고 색깔도 너무 밝고 목소리는 너무 호들갑스럽든지 그냥 너무 투머치여서 나에게는 도대체 여지라는 게 전혀 남지 않는다. 미국의 아동용 엔터테인먼트는 금세 전 세계로 번지기도 했는데, 이들이 공유하는 단 하나의 목표는 상상력을 지지하고 풍요롭게 하는 게 아니라 상상이라 할 수 있는 것을 말 그대로 전부 뿌리 뽑는 것이었다. 뭐, 그렇게 이상한 일도 아니다. TV, 게임, 교육용 앱들은 사용자를 중독시키고 계속 붙어 있게 만듦으로써 돈을 번다. 아이패드를 내려놓고 숲에 가거나, 바닷속 괴물로 변신한 가정용 호스와 전투를 벌이거나, 이런저런 프랜차이즈에서 따온 이름 말고 다른 이름을 가진 것들을 그림으로 그린다거나 하는 것으로 돈을 버는 게 아니다. 그치만 그게 꼭 더 좋을 이유는 또 뭔가? 아이를 진정성 있게 키운다는 감상적 이미지에 공감하는 부모들이나 만족감을 느끼지 않을까.

그럼에도 불구하고 어둠의 세계엔 상상이 끼어들 틈이 없다는 사실은 어느 정도 동의되고 있다. 다스베이더를 생각해 보라,

상상력이 제로다. 볼드모트도 상상력 제로, 스크루지도 마찬가지고, 스톰트루퍼나 오크도 뭐랄까 상상력이라는 것은 확실히 갖추지 못했다. 대중문화에서 상상력을 갖춘 유일한 어둠의 캐릭터는 천재 연쇄 살인마뿐인데 사실 생각해 보면 그 상상력도 언제나 이런저런 말할 수 없는 트라우마를 바탕으로 하여 확장한 것에 불과하다. 엄마야...

도널드 트럼프가 다들 상상력이 지나치게 풍부하다면서[가짜 뉴스] 모든 사람을 비난하는 상황은 참 코믹하면서도 (특히 러시아와의 관계에, 또 무슨 더러운 돈 문제나 섹스 스캔들이 있을지 누가 알겠나) 동시에 지극히 독창적이기도 한 것이, 코로나를 예로 들어 보면 소독약을 주사하라는 아이디어도 참 대단한 데다 자신은 인종 차별, 쇼비니즘, 남녀 차별, 심지어 전반적인 성격 파탄과도 무관하다는 자기 이미지도 그렇다. 피라미드 꼭대기에 이런 종류의 상상력을 가진 사람을 상상할 수 있는 유권자가 그렇게 많은데 그 자리에 로빈 윌리엄스를 (그러니까 아직 살아 있고 그랬다면 말이다) 지지할 사람은 많이 없을 것이다. 하지만 안 될 거 있나, 그게 훨씬 더 재미있었을 텐데. 장담하는데, 훨씬.

상상력과 권력이 이토록 긴장된 관계를 유지한다는 사실, 권력이 상상력을 억압하는 경우가 너무 잦을 뿐 아니라 억압 방식도 흉측하다는 사실이 참 기이하고 뻔하고 슬프다.

어쩌면 상상이 언제나 관습적이라는 점이 문제일 수도 있다. 이따금씩 놀라움을 주긴 해도 상상이 관습적인 이유는 우리가 이미 감각적 인식, 회상, 직관 등을 통해 이해하는 내용에 기반하기 때문이다. 상상은 하늘에서 떨어지는 것도, 어떤 신비로운 힘이 우리 안에 넣어 주는 것도 아니다. 우리 스스로가 하는 일이고, 그렇기 때문에 조금 무섭기도 한 것이다. 그 이미지들을 만들어 낸 것은 나, 내 머릿속이다. 그렇다.

어린 아이들이 특별히 대단한 상상력을 가진 건 아니다. 오히려 반대다. 아이들의 상상은 귀엽거나 발칙할지는 몰라도 아이들이 내적, 외적으로 실행해 본 인식, 세상을 경험한 정도에 바탕한다.

개념 예술은 상상에 우호적이지 못하다. 개념 예술가는 상상력이 아예 없어서 합리주의와 똘똘함 뒤에 숨든지, 자신의 상상력에 부끄러움을 느낀 나머지 더러운 이면을 감추기 위한 아이러니를 사용하여 상상력에 안전벨트를 채울 때가 많다. 그것으로 일단 대부분의, 다시 말하지만 '대부분의' 개념 예술은 상상의 악령을 쫓는 퇴마 활동이 된다.

다른 한편, 자신의 독창성을 한껏 뽐내는 예술이나 디즈니처럼 관객을 정보, 색깔, 편집, 거창한 음악, 예쁨 등으로 포화시키는 예술 역시 우울한 건 마찬가지일지 모르겠다. 여기서 둘의 공통점은 상상에 대한 일종의 소유권인 듯하다. 모종의 트라우마 때문이든 상상을 과대망상적 초능력으로 간주하기 때문이든, 상상을 자기만 갖고 있으려 한다.

나는 가끔 상상력이 역사적으로 변화를 거쳤을까, 어떻게 변화해 왔을까 궁금하다. 사람들이 실제로 상상한 내용이나 판타지의 내용이 아니라, 다양한 사회, 통치 형태, 계급 구조, 형법 체제, 토지 소유 체계, 노예제 및 식민주의와의 관계, 섹슈얼리티의 억압 등이 과연 다른 종류의 상상을 발생시켰을까 궁금한 것이다. 분명 그랬을 것이다. 상상이란 언제나 세상을 다른 방식으로 상상해 보는 일이겠지만, 만약 상상을 구성하는 것이 우리의 환경이라면 우리가 이국의 땅이나 낙원을 꿈꾸는 방식 역시 우리가 처한 환경의 산물인 걸까 싶어 조금 묘하다. 아, 식민주의 시대를 살아 낸 사람이 상상하는 이국의 땅은, 땅을 소유할 수 있다는 가능성에 대해 아무것도 모르는 사람의 상상과 어떻게 다를까? '내 거'라는 말을 배운 사람은 사유 재산이라는 걸 체험해 본 적도, 배워 본 적도 없는 사람과 어떻게 다른 상상을 할까?

1960년대에는 특히 학계 내에서 차이의 중요성을 강조하는 것이 유행이었다. 어떤 측면에서든 차이가 크면 좋은 것이었다, 그 어떤 차이든 상관없이. 대안적 형태의 삶, 섹슈얼리티, 자산, 인종, 신체, 즉흥, 계급 관계, 교육 정책이 목소리를 가질 수 있게 하는 하나의 방법이 차이였다. 차이 차이 차이.

이래저래 좀 이상하긴 하다, 차이에 관한 이해는 통상적으로 관계나 근접성, 긴장, 확장 등과 관련될 테니 말이다. 60년대에 통용된 것은 타자였고 이제 차이는 그 자체로 가치를 지니게 되었다. 차이는 중요했다. 위에 기술한 모든 것들, 그리고 그보다 훨씬 많은 것들의 경계가 외견상으로나마 고정되어 있었던 사회에서 차이는 너무 중요했다. 권력은 자기가 거하는 곳을 잘 알았고 새 단장할 의도가 전혀 없었다. 그러다 드라마틱한 일이 일어났다. 1970년부터 포스트모더니즘, 신자유주의, 석유 위기, 68운동의 후유증, 세계화를 향한 움직임, 지정학에서 생정치학으로의 마지막 전환, 그리고 무엇보다 가치의 붕괴를 통해 모든 것이 무너져 내렸다. 모든 것, 모든 형태의 가치가 허물어져 상대적이 되고, 부유하게 되고, 유동적이 되고, 액체처럼 되어 버렸다. 자크 데리다는 1970년, 언어는 수행적이라고 발표했고, 같은 해 리처드 닉슨은 화폐의 유동성을 선포했다. 차이는 어떻게 되었는가? 예상한 대로라, 이제부터 모든 것이 차이가 되었다. 고정된 것은 더 이상 아무것도 없었으니까, 아무것도.

하지만 문제가 하나 있었는데 차이에 관한 이해가 업그레이드되지 않았다는 것이다. 학자들은 여전히 차이로서의 차이가 중요하다고 주장하고 있다. 더 나쁘다.

이런 상황에서 상상은 어떻게 되는가. 차이가 밖으로 내동댕이쳐지고 가치가 붕 뜨기 시작하자 상상도 부유하기 시작해 다른 식의 조절과 통제가 필요하게 되었고, 자본과 관련하여 다른 식으로 활용될 필요가 생겨났다. 결국 내 상상은 과연 얼마나 자유로울까?

마지막으로. 상상은 질문인가, 대답인가? 진술인가, 감각인가? 상상은 하나의 선인가, 풍경인가? 이야기인가, 장소인가?

상상에서 연상되는 것들을 생각할 때 우리가 춤을 제일 먼저 떠올리지는 않겠지만, 어쩌면 우리가 생각을 달리 해야 하는 건 아닐까? 왜냐하면 춤은 질문도 대답도 아닌, 진술도 감각도 아닌 독특한 특징을 갖고 있기 때문이다. 춤은 압도적인 이미지, 편집, 색깔, 템포를 갖춘 매체가 아니다. 적어도 그런 매체여야 할 필요가 없다. 춤은 이야기를 전달할 필요도, 비판적일 필요도, 우리를 딴 세상으로 던져 놓을 필요도 없다. 춤은 선도 아니고 스토리도 아니며, 장소이면서 풍경이고, 차이가 있다면 알다시피 따라가야 할 것은 없고 체험해야 할 것은 많다는 점이다. 말해야 할 것은 하나도 없고 발견해야 할 것은 많다. 춤에는 대단한 상상력이 없지만 어쩌면 바로 그렇기 때문에 많은 상상이 태어날 수 있는 장소인지도 모른다.

## 2020년 11월 7일
## 그래도 상상력을 쓰세요

우리가 새로운 미래를 고안할 수단이 상상력밖에 없을 때 우린 어떻게 해야 할까. 똑같은 것의 증식을 부추기고 익히 아는 세상의 파괴를 종용하는 힘들이 상상력을 납치해 버린 그런 때에. 희망의 마지막 장소인 상상력을 (우리 더 나은 세상을 상상해 보자) 현대 자본주의가 낚아채 사업 모델로, 오늘날 잘나가는 비지니스들이 팔아먹는 상품으로 만들어 버린 이때, 우린 어떻게 해야 하는 걸까?

만약 문제 자체가 곧 아직 찾지 못한 해결책이라면? 어떤 회사가 창의적 해결 방안을 팔아먹을 때 그건 무슨 의미일까? 또 다른 세상의 상상을 CEO들에게 허락해 줄 거라고 말한다면? 알고 보면 상상력은 현대 비물질 자본주의의 궁극적인 상품인 건가? 그들이 파는 건 아무것도 아니고 운이나 좋으면 뭔가가 될 수 있는 정도인데도, 기업들은 결과가 대단할 거라고 장담한다. 이 방정식 뭔가 안 맞지 않는가?

상상은 구세주인 동시에 적이 되었다. 아니면, 상상은 혁명의 스파크인 동시에 네메시스다. 봉기의 적인 동시에 스폰서다.

상상은 어쩌면 고전적인 자본주의, 복지 국가, 포괄적 도덕주의를 겁먹게 했던 흥미로운 예측 불가능성을 가진 무기였다가 이제는 인테리어 장식과 혁명과 인스타그램 해시태그 #럭셔리하우스를 정치 팸플릿과 뒤섞어 버린, 세계 변혁자들을 위한 애착 인형이 돼 버렸는지도.

어떻게 보든 명백한 사실은 상상의 역할이 우리를 어딘가로 데려가는 건 아니라는 것이며(적어도 더 나은 곳으로 데려가진 않을 거다), 문제는 그 환상이 아직도 작동하는가 하는 점이다. 그러니까 상상이 그저 몽상일 뿐이고 할리우드보다도 조잡한 프랑스 버전, 아멜리에의 옆집 친구 정도일 때에 말이다.

여하튼 상상과 저항에 관하여. 상상력이 역사적으로 뭔가 부드러운 전복성을 지녔었다는 것은 부정할 수 없지만 상상이 이 힘을 지니려면 가서 맞부딪힐 대상도 있어야 한다. 무언가 실제적인 것, 고정된 가치나 지표적 가치가 있어야 하며, 우리도 알다시피 신자유주의 통치의 도래와 함께 뭔가가 고정됐다는 개념은 선택지에서 사라졌다. 오늘날에는 모든 것이 상상이고 그 이상은 없다고 말할 수도 있을 것이다. 리얼하거나 실제적이거나 정말로 안정적인 것은 하나도 없고 존재하는 것은 오로지 상상과 픽션, 부유하는 서사뿐이다. 그렇긴 하지만 정말로 붙잡을 것 하나 없어 보이는 이 세상에서, 열림을 향한 투쟁과 전쟁이 끝도 없이 이어지고 양극화는 날마다 더해 가는 듯한 모습 참 이상하기도 하고 당연하기도 하지 않은가.

*

50년대 후반 언젠가, 예술가들은 해프닝으로 시작해 퍼포먼스를 만들기 시작하면서 미술관의 구조들, 그리고 예술의 오브제에 관한 이해 방식 및 상품, 수집, 무심한 관조의 개념, 기타 수많은 것들이 오브제와 맺는 관계에 관한 이해 방식에 엿을 먹이고자 했다. 퍼포먼스는 곧 리스크이자 기표화된 저항이었다. 용감한 사람들이 용감한 관객을 위해 퍼포먼스를 만들었다. 퍼포먼스는 모호한 것이었고, 최종적으로는 전반적인 생산 양식(포드주의)에 관한 비평으로, 그리고 그 존재 자체만으로 자본주의 경제에 대한 비평이 되는 것으로 이해되었다.

90년대 말과 2000년대 초, 사회가 얼마 전부터 퍼포먼스를 중심으로, 퍼포먼스를 통하여, 그리고 퍼포먼스로부터 '구축'되고 있으며 서구에서 시작되어 세계화를 통해 확산되는 이 변화가 가속화되고 있다는 내용의 저서들이 끝도 없이 발표되었다. 존 매켄지는 저서 『수행하라 그렇지 않으면』(Perform or Else, 2001년)에서 과거에 그 자체로 가치를 지녔던 인간의 삶은 이제 오로지 수행을 할 때에만, 즉 생산성을 갖추고 재화의 움직임을 창출할 때에만 가치를 지니게 되었다고까지 암시했다. 비물질적인 교환 형태에 기반한 경제에서 유일하게 의미 있는 것은 끊임없이 움직임을 발생시키는 것이다. 오늘날 인간은 멈추지 않고 헤엄치는 상어와 비슷하다. 상어는 계속 움직이지 않으면 호흡이 멈추어 질식하게 된다. 나이스.

좋다, 그럼 오늘날 퍼포먼스를 만드는 사람들의 동기는 무엇인가? 그냥 물어보는 거다. 왜냐하면 그 이유가 미술관이나 상품 구조를 의문시하는 것일 리도 없고, 자본주의를 중단시키거나 소비 사회를 급정거시키는 것일 리도 없지 않겠는가? 그리고 특히 구 서구에서라면, 어쩐지 다양한 신체나 체현 형식을 관객들에게 보여 준다거나 인지시키는 게 목적일 리도 없을 것이다. 일단 그런 것이 24시간 내내 인터넷에 나와 있기 때문인데, 아니라고 생각한다면 당신이 제대로 살펴보지 않은 것이다. 인터넷 역시 기업적, 모멸적, 대안적, 예찬적, 경이적, 혐오적, 괴상, 와우, 냉소적, 히피적, 완벽, 흠결의 이미지로 가득하다. 게다가 만약 상상이 통제 불능 수준으로 치달아 버렸다면 우리가 왜 계속 경계를 뛰어넘어야 하는가? 경계는 이미 다 지워져서 어차피 뭘 보여 주든, 뭘 제공하든 그건 이미 소비됐거나 기업의 돈으로 재포장하지만 않았다면 우리가 원치 않아도 딱 한 걸음이면 닿을 데 있을 텐데 말이다.

모든 것, 정말로 모든 것이 퍼포먼스를 현시대(물론 코로나 이전)에 절대적으로 들어맞게 해 주며, 퍼포먼스는 신자유주의 및 후기 자본주의의 입맛이라는 광활한 무대에 딱 맞춰져 있다. 퍼포먼스는 빈틈없이 완벽한 우리 시대의 주체를 가능케 한다. 개별적이고 특별하며 초사회적이고, 순응하지 않되 적합하며 회복 탄력성, 사업 마인드, 젊음, 아름다움, 도회성을 갖추고 아이가 없는 싱글에 기동성을 갖춘 주체. 실로 현재의 퍼포먼스가 밀고 있는 주체는 극도의 판매 가능성을 갖췄고 그만큼의 투자 가능성도 있다. 특히 오브제 한 무더기나 무거운 세트를 이동할 필요가 없이 공간, 분장실, 기술 지원, 때와 장소, 가성비 면에서 어마어마하게 유연하기 때문에 더더욱 그렇다.

따라서 정체성과 주체성에 대해 언급할 수 있는 긍정적인 내용 백만 가지가 퍼포먼스의 원천이 되었고 정치적 저항, 새로운 종류의 상상 제시, 주체성 재고, 사회 내 신체의 입지 재고 면에서는 그렇지 않다는 게 내 생각이다. 오히려 나는 퍼포먼스가 현대 자본주의 R&D팀의 외부 실험실처럼 기능하고 있다고 말하고 싶다. 그러나 무엇보다 퍼포먼스는 새로울 게 전혀, 정말 하나도 없다. 딱 위의 이유들 때문에, 그리고 급진적이라는 느낌을 주기 때문에 짜릿한 기분이 드는 것일 테다. 퍼포먼스는 현대 사회에(그 사업 모델까지 포함) 완벽히 장착된 아티스트를 확인해 준다.

　어쩌면 이런 사실도 "아 그렇구나, 알았어" 정도의 내용일지는 모르겠으나 상상과 관련해서는 아무래도 꺼림칙한 데가 있다. 이런 종류의 퍼포먼스가 디즈니 및 기업 엔터테인먼트와 거의 동일하게 기능하고 있지는 않은가 하는 물음. 이런 퍼포먼스는 풍부한 상상력을, 그게 아니라도 '특별한' 상상력을 제공한다고 할 수 있으며 관심과 주의력을 최적화시키고 정체성에 초점을 맞추고 있기 때문에, 이런 콘텐츠와의 만남이—긍정적으로든 부정적으로든—승인하는 강도를 더욱 강화한다. 즉, 이런 체험이랄지 그 체험의 효과는 곧 프레임화되고, 계약의 대상이 되며, 또 선형적, 경제적, 도덕적이기도 하다. 달리 말하면 이런 체험이 상상을 확장하기는커녕 도리어 개인이 이 체험을 가지고 무얼 하는지에 가치를 탁 걸어 고정시키고 만다는 것이다.

　승인과 확인, 그리고 정체성의 진정한 문제가 무엇이냐면 무언가가 그 정체나 위치를 확인받고 나면 그 이상은 아무것도 아니게 된다는 점이다. 어떤 대상이 항해해 갈 기회들을 축소하는 것, 즉 그 잠재성을 상실케 한다는 점이 바로 정체성의 이면이다. 더불어 만약 정체성이 언어로 조직되는 대상이라고 간주할 경우, 그러니까 이것은 수행성 이론과 나란히 있는 정체성 정치의 결론이기도 한데, 그 경우 그 대상은 이미 언어를 통해, 언어에 의해 가능해진 정체성만을 지닐 수 있게 된다. 곧 정체성은, 언어를 지배하는 권력 구조를 변함없이 확인해 주고 상상에 관해서는 반생산적이라는 뜻이다.

　가장 압축적으로 퍼포먼스를 정의하면 "어떤 주체가 주체성을 수행하는 것"이다. 흥미롭게도 두 항이 서로를 강화하며 순환적인 흐름 같은 것을 형성함으로써 모든 결함, 약점, 구멍,

모순을 축출시키는 것 같다. 한편, 무용에 관해서도 유사한 정의가 있는데 "형태를 수행하는 주체"라는 것이다. 무용에서는 긴장, 혹은 어쩌면 해소가 기표와 기의 사이에 도입된다. 무용수는 꼭 춤에 의해 확인되는 것도 아니며 춤이 주체에 의존하지도 않는다. 하나의 춤이 자연스레 주체의 지위, 입장, 권력, 단순하게는 목소리 등을 표현하는 데 '활용'이 될 수는 있지만 심지어 그런 경우라 할지라도 형태에 내재한 일반적 역량 때문에 주체와 형태 간의 긴장은 잠자고 있을지언정 여전히 현존한다. 주체/기표와 형태/기의 사이의 이 긴장(이것을 거리라고 보는 사람도 있을 것이다)이야말로 춤을 그토록 '복잡'한 동시에 풍요롭게 만들어 준다. 이 거리가 지나치게 비대해질 때 가장 조악한 형태로 표현되는 반복적 질문이 "이게 무슨 내용이야?"이고 관객 다수에게 이 상황은 수행되는 내용이 주체를 확인해 주지 않는 순간 곧바로 벌어지는데, 또 한편 이 거리 안에서, 또 이 거리를 통해서야말로—거리란 건 측정과 양쪽의 존재를 전제하지만 우리의 경우 두 항은 측정치 면에서 동떨어진 것도 아니고 한 대상의 양측도, 공유된 무언가도 아니어서 '거리'는 전혀 아닌지도 모르겠지만—상상은 운동, 규칙적 진동, 떨림, 깜박임 같은 것을 시작하며 발생적이 될 수 있는 것이다. 놀이터, 뒷마당, 전쟁터, 더블베드, 뭐라고 부르든 간에 상상이 그곳에 진입할 수 있는 입구는 정확히 그곳, 그 양립 불가능한 두 개체 사이에 빈 듯 보이는 사이의 '공간'이며, 상상의 역할은 비응집성이 지배하는 곳에서 응집성을 창출하는 것이다.

\*

퍼포먼스와 수행성의 관계를 꼭 살펴봐야 한다. 모든 예술 작품은 무조건 수행적이다. 시는 시성을 수행하고, 회화는 회화의 수행성, 고정적이거나 아니거나, 정적이거나 아니거나, 주체가 있거나 없거나 한 다른 모든 것들보다 더하지도 덜하지도 않은 수행성을 지니고 있다. 모든 것이 수행성을 지니지만, 신발과 말(馬), 음악회와 연극, 퍼포먼스와 무용, 무용과 무용 영상 등등의 수행성은 다르다. 수행성은 많고 적음이 있는 것이 아니라 그저 다를 뿐이다. 퍼포먼스와 무용의 수행성이 마치 똑같은 하나인 듯 동격으로 취급하고 통합하는 경우가 많지만 사실 주체성의 상이한 입장들이 둘을 꽤 현격히 구별하고 있다.

자, 퍼포먼스와 무용 모두 한 번만 발생할 수 있는데 사실 모든 체험과 사건이 그렇다. 연극이나 퍼포먼스가 그 체험의 단일성 때문에 고유한 것이라 주장하는 사람들은 그냥 공부를 안 한 사람이다.

우리는 똑같은 강물에 두 번은커녕 한 번도 발을 담글 수 없다. 그렇다, 결코 같은 강물일 수가 없는 것이, 언제고 같은 강이 아니기 때문이다. 같은 강물이라는 건 그냥 하는 말이고, 존재하는 건 오직 변화와 흐름뿐임을 알면서도 같은 강물이라고 생각하면 기분도 좋고 살기도 속 편하다. 이 점에서 퍼포먼스와 무용 간의 차이는 없으나 주체성의 입장을 살펴본다면 퍼포먼스는 주체성의 네 가지 층위에서 책임을 발생시킨다. 주체를 운반하거나 주체로 존재하는 퍼포머, 수행성을 지니는 퍼포먼스, 퍼포머와 퍼포먼스의 정체성을 긍정적으로든 부정적으로든 이런저런 방식으로 승인/확인하는 관람자의 주체성, 마지막으로 이세 당사자 간에 이뤄지는 교환의 주체성이다. 퍼포먼스는 말하자면 하나부터 열까지 수행적이며, 이 중 개체 하나가 빠질 경우 상당히 빠르게 쪼그라든다.

반면 무용의 경우, 형태의 도입을 통해—이건 무용이 형식적이 된다는 뜻은 아니다—주체성의 연속성과 승인을 탈구시킨다. 즉, 춤추는 주체가 형태에 의해서 승인되는 건 아니라는 얘기다. 이는 결국 퍼포머의 주체를 승인하는 행위로부터 관람객을 해방시키며, 형태의 경우는 당연히 형태로 승인하는 수밖에 없다. 형태는 주체 되기로부터 더더욱 물러난다. 주체나 가치, 상징적 의미를 받으려는 욕망에서 물러나 그 자체로서의 가치 외에는 가치를 갖지 않는 대상에 머무르며, 이로써 여지없이 수행적이 아니게 된다. 이런 의미에서 비록 춤추는 주체는 수행적이나 춤은 수행적이지 않다고 주장할 수 있을 것이다. 형태는 (수행성이 운반하지 않는) '어떤 사물'(some thing)이고 춤추는 주체는 (수행성에 운반되는) '어떤 것'(something)이다. 모든 춤은 아니더라도 일부 춤은 어떤 사물과 어떤 것 사이의 개재적 공간에 위치하고, 바로 이렇게 왔다 갔다 하는 불안정성, 혹은 미끄러져 내리는 인식 속에서 상상은 진동을 시작할 수 있는 것이다.

춤이 머리부터 발끝까지 수행적이며 그래서 퍼포먼스에 상응한다는 이해 방식은, 제안된 상상의 공간이 언제나 언어와 재현에 이미 포획되어 있거나 뒤엉켜 있(을 수도 있지 않겠나?)는 그런 방향을 향하고 있다. 다시 말해 위와 같이 제시된 상상은 측정과 교환이 가능하고 경제적 가치로 충만한 상상이다. 뒤집어 보면, 주체성의 형태들이 이루는 '평형 상태'를 중단시키고 (주체성에 연결되지 않으며, 인간적 인식론들과는 전혀 상관관계가 없는) 형태를 도입한다는 건, 상상을 위해서 개방된 공간이 있다는 것이다. 이 공간은 각 항이 서로를 승인하는 이를테면 핑퐁의 공간이 아니라, 인간 주체성으로는 운반되지 않기에 해석이 불가능한 응답이나 떨림들을 생산하는 공간이다. 관람객도 무용수도 이러한 교환을 포착, 배치, 승인할 수 없으며 오히려 그 위치를 창출해 내야만, 그래서 이 교환을 품을 수 있는 맥락을 창안해 내야만 한다. 바로 이 긴장 속에서 또 다른 형태의 상상, 아직 상상할 수 없는 형태의 상상, 존재는 하되 아직 형태를 얻지 못한 상상이 꽃을 피울 수 있다.

지독하게 진 빠지는 일이구나 싶을 수도 있지만 사실 완전히 그 반대다. 아무도 선택지를 제공하지 않을 거고 아무런 서비스도 없을 것이기 때문에 어떤 이에겐 이것이 무서운 체험일 수도 있지만 다른 이들에게 이 공간은 참여자가 가치나 의사 결정에 얽매이지 않고 그런 개념과 만나지 않는 공간이다. 그리고 분명히 말하지만 당신에게 춤이 사실상 필수가 아닌 만큼 춤도 당신을 필요로 하지 않는다. 춤은 당신의 승인을 요구하지 않고 자기 일에만 집중할 줄도 안다. 당신의 상상 속에 무슨 일이 벌어진들 춤은 문제 삼지 않는다. 춤은 당신에게 책임을 지우지도, 권한을 부여하지도 않는다. 대신, 관람객이 체험과 별개로 자신만의 권한성을 발생시킬 수 있게 해 준다. 그 체험을 보충할 수 있는 권한, 당신의 상상이 창조해 낸 그러한 권한을.

## 2020년 12월*
## 날 믿어요

날 믿어요, 괜찮을 거예요. 누군가의 입에서든 이런 말이 나올 때, 적어도 나에게는 괜찮을 일이라곤 하나도 없을 거라는 분명한 신호로 들린다. 어쨌든 기대한 결과가 나온다는 것이 괜찮은 일인 적은 또 언제였나. 괜찮다는 말은 이미 약간의 위기나 중간 정도의 재앙을 상정하는 게 아닌가?

'괜찮을 거야'라는 말은 새로 뽑은 도요타 프리우스로 후진을 하다 가로등을 박았을 때 나 스스로에게 해 주는 말이다. 그래, 괜찮을 거야, 그런데 일단 일주일 정도 쪽팔려하면서 망할 놈의 차를 정비소에 갖다 놔야지.

'넌 괜찮을 거야'라는 말은 초연 커튼콜 때 넘어져 얼굴을 박은 안무가 친구에게 해 주는 말이다. 그래 난 괜찮을 거야, 그런데 그 작품은 작가가 얼굴로 넘어졌던 작품이라고만 기억되겠지.

날 믿어요. 이 말은 무슨 뜻일까? 아니 정말, 나를 믿으라니? 당신을 뭘, 뭐에 대해 믿는다는 건가? 프리우스 수리비를 당신이 댈 거라는 뜻이거나 그 안무가가 앞으로 한동안은 아마 같은 식으로 민망함을 겪지는 않을 거라는 의미일 거다. 하지만 그런다는 보장은 물론 없다. 나를 믿으라는 말이 대부분은 '얼른 딴 사람 찾아서 책임을 물어' 정도의 의미에 지나지 않는다는 걸 우리는 그냥 받아들여야 할지도 모르겠다. 훌륭한 핑계거리를 찾아내서 스스로 그 말을 믿을 때까지 반복하기라도 하든지.

*이하의 글은 페스티벌이 끝난 후 마텐 스팽베르크가 추가로 보내온 글이다.

'날 믿어요, 괜찮을 거예요'라는 말을 요약하면 2차적인 피해를 최소화할 수 있는 과정들을 도입하라는 뜻이며, 달리 말해 이 말은 이념적 기반을 전부 상실한 정치인들한테서 나오는 말이다.

믿음의 출발점은 무언가가 안정적이어서, 믿음을 갖다 붙일 수 있는 일종의 부동성이 있다는 것이다. 믿음은 닻을 내리는 것이다. 밧줄 끝에, 태초부터, 첫 단계부터, 혹은 저 밑바닥에 무언가 만질 수 있는 것이 존재한다면 닻을 내리는 건 문제가 아니지만 실상은 그렇지 않다.

미안하다, 아니 안 미안하다. 미안한 이유는 그 끝에 정말 무언가 모든 사물의 어머니가 있다면 기분이 정말 좋을 것이기 때문이다. 안 미안한 이유는 그 무언가라는 게 있을 경우 그게 모든 걸 결정할 것이고 우리가 아무리 애를 쓴들 그 점을 바꿀 수 없기 때문이다. 철학이 늘 형이상학, 초월, 내재, 절대, 가상, 사물 자체, 실제, 보이드, 존재, 철학자의 돌 등등을 접근 불가능한 대상, 가능과 불가능을 알 수 있는 지점 너머에 자리한 대상으로 만든 이유가 그것이다.

춤에서는, 사실 아마 예술 전반에서도, 현존은 일종의 목표로 간주될 때가 많다. 예술 창작, 춤추기, 연기든 아니면 관람, 보기, 체험이든 상관없이 말이다. 우리는 다들 이런 얘기를 인터넷에서 읽었다. 완전히 무언가에 휩쓸려 오로지 지금 이 순간에 집중된 체험을 하는 순간들. 무용에서 즉흥을 옹호하는 사람들이 이 주장을 자주 이용한다. 나 자신과 완전히 만나는 수단, 진정성의 상태에 이르는 수단으로서의 춤. 재즈 뮤지션들이 와일

드하게 연주할 때 눈을 감아야 하는 이유도 그렇게 음악과 하나가 되기 위해서인지도 모르겠다.

좋다. 그렇긴 한데. 일단 그런 일이 진짜로 일어나는 건 불가능하고, 일어난다 해도 현존 안에 거할 수 있는 방법은 아예 없다. 현존이 현존이려면 시간이 텅 비어 있어야 한다. 물론 기분 좋은 날이나 이리저리 춤출 때 나 자신이 현존하는 느낌이 들지만 현존감을 느끼는 것과 현존하는 것은 무지무지한 차이가 있다. 현존감은 풍요와 충만의 세례, 나 자신에게 완전히 깨어 멈출 수 없고 강력한 느낌, 슈퍼히어로와 비슷하다. 그러나 현존한다는 건 불쌍하고 빈곤하거나, 사실 철저히 공허하고 충만과는 아무 관계가 없다. 현존은 증강 체험이나 자아 이해—버섯이나 뭔가 시원한 걸 섭취하는 식으로—의 수단이 아니다. 완전히 정반대다. 현존의 실제적인 체험, 현존한다는 것은 자아의 소멸, 정체성의 삭제를 함의한다. 현존이 빈곤한 이유는 그저 지금에 지나지 않기 때문이다. 현존에 닿을 수 없는 날은 사실 운 좋은 날인 것이, 과거든 미래든 우리에게 모든 '그때'가 허용되기 때문이다.

그렇지만 현존의 불가능성마저도 예측 불가한, 혹은 우발적 변화의 가능성을 위해서는 필요하다. 그렇지 않으면 모든 변화는 전략적, 개연적, 좋은 의도에서 나온 것에 불과하다.

주디스 버틀러가 『젠더 트러블』을 발표한 지 30년이 지났다. 버틀러는 아주 정확하고 흠결 없이 정체성 정치학, 즉 정체성을 수행적인 것으로, 토대나 기초가 없는 끝없는 과정으로 보는 이해 방식을 도입하였다. 정체성, 그리고 자연스레 젠더는 출발이나 목적지가 있다거나 개선이나 악화를 향해 가는 실천이 아니라 단순하고도 복잡하게 관습과 규범, 긴장, 욕망, 고통, 기쁨의 실천들 혹은 교섭들을 모아 놓은 묶음인 것이다.

개인적으로 나는 버틀러의 관점이 열기관이나 전구만큼 중요하다고 생각한다. 정말 대단하게 중요한데 그 발명들이 세상을 바꾼 딱 그만큼 중요한 것이다. 여러 필의 말이 실업 상태가 되었고 꽤 많은 양초들이 수많은 서랍 속에서 잊혔다. 말할 것도 없이 1908년 이전에는 자동차 충돌 사고라는 현상이 알려지지 않았다. 작년에는 도로 위의 충돌 사고로 약 1천400만 명이 사망했다.

수행적 정체성을 위해 치르는 대가는 꽤나 크다. 정체성이 어떤 기반을 갖거나 고정된 것으로 간주될 경우 우리는 언제든 '난 그냥 인간이야'라는 말로 모면할 수 있다. '날 믿어'라고 말해도 넘어갈 수 있지 않겠나, 어쨌든 나의 주체는 고정된 것이니까. 빙고.

그런데 정체성 정치학에서는 모든 게 당신에게 달려 있어 언제나 당신의 책무고 책임이다. 당신의 정체성에 토대가 있다면 진정한 자아를 참조하거나 그에 도달할 수 있지만 버틀러 이후 당신에 대해서도, 자아에 관해서도 진실한 것은 아무것도 없게 되었다. 그냥 과정이니까. 포스트 젠더 트러블에서는 나 자신이 되고 싶다는 주장조차 할 수 없다. 나 자신이라고 하는 모든 게 그냥 여기저기서 주워 온, 빌리고 샘플링한, 관습과 규범에 의해 이리저리 밀쳐진 이런저런 부스러기일 테니 말이다. 짧게 말해 『젠더 트러블』이 등장한 이래 '날 믿어'라는 건 더 이상 존재하지 않게 되었다.

하지만 무엇보다 버틀러가 예상치 못했던 것은, 정체성이 정치학이 됨과 동시에 경제가 되어 버렸다는 것이다. 정체성이 더 이상 안정성을 지니지 못하자 정체성 증진의 형식들을 위한 시장의 창출이 가능해졌다. 요가든 헬스장이 됐든, 퇴근 후 무슨 호텔 바에서 술 한잔을 같이 한 게 누구인지든, 묵언 리트릿 머시기가 됐든. 1990년 이래로 당신의 정체성은 돈을 대고 투자할 필요가 있는 대상이 되었다. 꼭 많은 돈을 통해서는 아니더라도 의식과 자각을 잔뜩 지니고서.

수행적인 정체성과 현존의 가능성으로의 정체성을 동시에 고려할 수 있는 방법은 없다. 그 이유는 단순하게, 수행성이 도입되는 순간 '자기 스스로에게'라는 건 없기 때문이며 실로 수행성의 대가란 탄탄한 토대이다. 더불어 인정해야 하는 사실은 정체성과 함께 몸이 온다는 점, 그러니까 수행성은 나의 몸에 대한 권리를 주장한다거나 심지어 내 몸과의 직접적, 비매개적 접촉을 생각할 수 있는 가능성도 소멸시켰다는 것이다. 그래도 모자란다는 듯 정체성 정치학은 영적인 교감의 기회나, 뭐가 됐든 영성을 지닌 것은 전부 축출해 버렸다. 정체성 정치학을 옹호하면서 영성을 주장하는 건 정치가가 세금 인상이나 삭감의 근거로 '하느님이 제게 그렇게 말씀하셨습니다'라고 하는 것과 마찬가지이다.

주디스 버틀러의 관점에서, 그게 아니라도 정체성 정치학을 지지하는 입장에서 볼 때, 젠더, 신체, 섹슈얼리티, 인종 등을 비롯한 정체성은 전부 하고 또 하는 것, 버틀러가 반복(iteration)이라고 일컬은 것이 중심이다. 다시 말해 존재하기란 없고 하기만 있을 뿐이거나, 존재하기가 곧 하기라는 것이다.

수행성과 정체성이 1990년 즈음 연결되기 시작한 것은 물론 우연이 아니다. 고의는 아닐지언정 수행적 주체에게 중심이 되는 것은 개별성이다. 토대를 지닌 안정적 정체성을 담은 세계관에서는 (적어도 서류상으로는) 우리 모두 동등하고 모두가 어떤 중앙의 단위나 기원과 연결되어 있다. 서구 사회는 그 철학에서부터 과학과 통치, 또 이념, 상속, 가치, 경제, 사랑에 이르기까지 한 땀 한 땀 이런 형태의 정체성을 바탕으로 구축되었다. 그러므로 우리가 조금이라도 넓은 의미에서 수행성을 포용하고자 한다면, 사회의 거대 제도들 역시 전부는 아닐지언정 꽤 다수를 재고해 보아야 한다. 현재로서는 우리가 어떤 기반과 현존을 지녔다고 파악하는 세상 속에서 수행적 삶을 살고 있음이 명백해 보인다. 변화 창출을 사실상 불가능하게 만든 비대칭 구도가 부상하였는데, 이는 UN과 같은 전 지구적 제도들을 공유하는 다양한 문화가 수행성과 현존 사이의 관계들을 근본부터 상이하게 실천하고 있기에 더욱 그러하다. 강력한 종교적 현존들을 지닌 사회에서는 수행성을 교섭시키는 것이 불가능하고, 세속적 사회에서는 근본주의와 도그마가 반생산적으로 보인다.

생태주의적 관점에서 보면 우리가 세상과 맺는 관계를 재교섭하여 세계, 대지, 행성(표면적으로는 같은 것 같지만 분명 다르다)의 세 개 층이 수행적인 것이라는 관념으로 이행하는 것이 필요하다, 적어도 우리의 삶을 그렇게 간주할 거라면. 그러나 우리가 파악해 왔듯이 우리가 그런 관점을 취한다면 우리는 이곳에 발을 디디는 방식을 꽤 많이 바꿔야 하는데, 지나치게 돈이 많은 지나치게 많은 수의 사람들은 그런 과정이 시작조차 안 되게 지나치게 많은 투자를 해 왔다.

내가 볼 때 다소 역설적인 부분은 수행성을 가장 끈질기게 옹호하는 이들이 이런 형태든 저런 형태든 근간의 현존 역시 고집하는 것같이 보인다는 점이다. 수행성의 대중적 등장 및 응용과 더불어 타로 카드의 인기, 마녀와 마법에 관한 매혹, 힐링에서 묵언 리트릿에 이르는 의식과 영적 실천의 전용 및 실행, 아야와스카에 대한 집착, 가이아와 관련된 모든 것들, 즉 토대와 보편성과 저 너머의 힘을 향해 분명한 신호를 보내는 실천이나 갖가지 것들이 동시에 등장했다는 점은 결코 미스터리가 아니다. 영혼이나 수행성에 문제가 있다는 것은 전혀 아니지만 둘의 바람직한 조합이란 건 없어서 둘 중 하나이든지 아무것도 아니든지여야 한다.

　'약간 수행적'이라는 것은 고려 대상이 되지 않으며 수행성은 있거나 없는 것이고 차이를 만들지 않는다. 뭔가가 이따금씩 수행적이거나 어쩌다 한번 약간 수행적일 수는 없다. 수행성은 전략이 아니라 체제, 정책이 아니라 계획이지만 체제란 명백히 전략들을 통해 작동되지 않을 수 없고 계획이 전개되려면 자발적이든 비자발적이든 정책들이 발표될 것이다. 만약 인류와 그 정체성 및 주체성이 수행적이라면 거기에 따르는 대가란, 토대를 갖추고 수행적이지 않은 무언가가 존재할지라도 인간은 수행성이라고 하는 장치를 통해서만 이 세계와 그 내용물을 파악, 체험할 수 있다는 것이다.

　한번은 누가 옛날 성의 지주들이 왜 자기 권력을 상징하는 초상화 옆에 몇 세대에 걸친 초상화들을 차례차례 걸어 뒀는지 얘기해 준 적이 있다. 안정성을 보여 주고 그 오랜 세월 동안 그토록 낭비된 시간 동안 아무것도 변하지 않았다는 걸 드러내기 위해서라는 것이다. 봉건 사회나 귀족 사회에서 변화는 부정적인 것으로 생각되었고 토지는 받아서 유지해야 할 것이지 확장하거나 이윤을 늘리기 위한 게 아니었다. 반면 자본주의 세계관에서 변화와 확장은 절대적인 필수 조건으로서, 이에 시간에 대한 이해를 전적으로 재고해야 할 필요성이 시사된다. 16세기에서는 전위 예술 운동을 상상하는 것이 불가능하다. 진보는 포용보다는 거부의 대상일 뿐이었다.

　　마찬가지로 수행성의 전환을 1990년으로 짚는 것 역시 가능한데, 이는 그 출발점이 자본주의의 확산과 민족국가의 위상, 봉건제 쇠퇴, 공화국의 도입 혹은 군주제 종말, 체벌 대신 감금 형태의 처벌, 소위 자유주의 주체의 등장과 맞물린다는 진술이기 때문이다. 이들의 공통점이 정확하게 안정성, 주어진 것, 토대로부터 멀어지는 움직임이다.

　　서구 철학과 관련해서 보면 이와 동일한 역사적 시점은 존재론적 패러다임에서 인식론적 패러다임으로의 전환, 즉 상관적 철학의 도입이라고 할 수 있다. 이는 특히 흄과 칸트를 통해서 이루어졌는데 이들 모두 '우리에게'라는 사족을 달지 않고서는 아무 질문도 대답할 수 없다는 점을 역설했다. 여기서 '우리'란 인간, 심지어는 인간의 의식이다.(물론 그 인간은 모든 인간이 아니라 백인, 유럽인, 이성애자, 남성만 포함하였다.)

　　덧붙이자면 시기적으로 다소 늦긴 하나 1859년 찰스 다윈이 『종의 기원』에서 다른 모든 종은 본능에 의해서만 돌아간다고 직접적으로 선언함으로써 그들의 수행성을 박탈하고 아무런 염려나 죄책감, 배려 없이 착취 가능한 존재로 만들었다는 걸 기억하는 것도 중요할 것 같다.

수행성의 중요성에 반박하는 그 어떤 정황도 없는 상황에서 어쩌면 새로운 질문들이 절실한 건 아닐까? 수행성이 자본주의의 리듬과 맞아떨어지고, 자본주의에 대한 확장된 이해로 이행성에 대한 모든 착취가 승인되는 거라면 우리 모두가 기다려 온 구세주가 수행성이 맞는지 물어야 하는 건 아닐까? 또 다른 정치와 경제 체제를 위한 기회들을 탐색하길 원한다면 우리도 자본주의의 오작동을 막아 주는 수행성을 배척해야 한다는 점은 분명해 보인다. 우리가 어떤 측면에서든 이 행성을 구하길 원한다면 추출성 자본주의와 생김새가 같은 수행성 역시 포기해야 한다.

　　수행성이 1990년 즈음에 등장했다는 추정 역시 몇 가지 물음표를 제기한다. 수행성은 개인주의(단순하게 '거기에 내 몫은 뭐가 있어?'보다 아주 살짝 더 복잡할 것일 듯)와 결합할 뿐 아니라, 대단히 공격적인 신자유주의 정책, 과(過)기동성, 세계화 빨리감기, 긱 경제, 주체성의 재원화, 기호 자본주의, 가속화된 회복 탄력성, 동시대 정치로부터 이념의 완벽한 근절에 동참하였다. 딱히 나쁜 실적은 아니지만, 자본주의로부터의 출구를 상상하고 싶다면 그런 일이 결코 수행성의 지원을 받아 일어나지 않을 것임은 자명하다. 오히려 반대로, 우리가 그간 봐 온 것처럼 수행성은 계속 전진하는 자본주의 레이스에 필수는 아닐지언정 결정적이다.

　　예술이란 무엇인가, 예술을 어떻게 정의할 것인가 하는 것은 바보 같은 질문이라고 할 사람들이 많겠지만 우리 맥락에서 보면 예술이 오랫동안 자격 기준들을 통해 규정되어 왔다는 점이 흥미롭다. 회화 작품이 회화이려면 예를 들어 사각형, 편평

함, 벽에 걸려 있기 등 몇 가지 기준을 만족시켜야 했다. 못 한
다면, 미안하게 됐습니다! 그런데 또, 당신의 그림이 충분한 수
의 기준을 만족시켰다면 그것은 좋든 나쁘든 여전히 회화인 것
이었다. 물론 문제는 거기에서 변화의 문제, 회화에 대한 이해
를 확장하는 건 어떻게 해야 되는지, 회화가 더는 회화가 아니
게 되는 두께는 어디부터인지, 회화에 오브제도 포함되는지 물
감만 있어야 되는지 등이었다. 변화는 금지되었지만 거기서 비
교적 긍정적인 면은 예술에 토대가 있고 기반이 갖춰져 있고 믿
을 수 있고 또.

　　20세기 초반 대안적 이론들이 등장하면서 이런 기준을 우회
하여 그 대신 중요해진 것은 후보자의 지위, 그러니까 예술 작
품이 되기 위해서는 먼저 예술 작품으로 승인되어야 한다는 것
이었다. 기준의 문제가 아니라 예술 작품으로 간주되느냐의 여
부가 관건이 되었다. 누구든지 어떤 대상을 승인할 수 있고 그
첫 번째 사람은 아마도 예술가였겠지만, 어쨌든 중심이 된 것은
특정 개인, 제도, 시장, 경제적 이해관계 등이 좀 더 큰 스케일에
서 말하자면 타인을 위해서도 승인을 내릴 입지를 보유했다는
점이다. 중요한 미술관이 어떤 작품이나 예술가를 선보인다면
그보다 더 작은 기관이나 개인이 그 제시나 인가에 반대나 반박
을 하는 것은 힘들어진다. 예술이 한편으로는 누군가 원하는 바
대로 될 수 있는 뭐든 것이면서, 동시에 그 토대와 기반을 잃고
수행적이 되어 버렸다는 뜻이다. 예술임을 얼마나 잘 수행하느
냐에 따라 예술은 승인을 받았다. 자격 기준이 권력과 맞바뀌었
다는 뜻이다. 어떤 대상을 그 영향력의 측면에서 예술로 승인할
수 있는 권력은 누가 가졌는가?

내가 볼 때 수행성 이론들의 주요한 문제 가운데 한 가지는 바로 권력의 입지, 달리 말하면 모든 것이 좋든 나쁘든 권력의 문제, 그리고 명백히 권한성의 문제가 된다는 점이다. 심지어 더 좋은 건 그것이 기반을 결여한, 중앙의 기관이든 나쁜 놈이든 근간이라 할 수 있는 그 어떤 것으로도 추척되지 않는 형태의 권력이라는 점이다. 수행성에 바탕한 체제들 안에서 권력이란 부유하는 것, 미끄러져 내려가는 것, 추적이 불가능한 것이며 무엇보다 싱크탱크와 관련 부처들과 미술관들, 대학들, 강연 시리즈, 컬렉션, 잡지 등등에 돈을 댈 수 있는 사람이 누구냐와 관련된다. 생태주의적 용어를 사용하자면 수행성은 지속 가능성의 반대 면이라고 할 수 있을 것이다.

　사실 수행적 체제들은 첫눈에 어떻게 보이든 상관없이 신체를 거부하며, 선천적으로 인지, 지식, 이성, 가십을 강조한다. 수행성은 어느 측면에서 봐도 유기적이지 않고 어떻게 해도 자연스럽지 않으며, 인위적으로 구축되지 않았거나 관습에 바탕하지 않았거나 담론적이지 않은 것은 전부 버린다. 또 우리가 몸으로 실천하거나 요가를 하거나 헬스장에 가거나 퍼포먼스 예술을 감상하거나 타투를 하거나 격렬한 섹스를 한다고 해서 그 구축성이 커지거나 작아지지 않는다. 수행적 체제는 전부 신체와 그 실천들을 이해할 수 있을 뿐, 통념과 언어의 측면에서 향유하고 관계, 비교, 교환, 측량의 관점에서 파악할 수 있을 뿐이다.

　수행성의 측면들에 의문을 제기한다고 해서 자동적으로 수행성에 반대를 한다거나 현존과 존재론의 세계 인식으로의 '복귀'를 주장한다는 뜻은 아니다. 그러나 또 다른 목적지들을 염두에 주고 비전을 그리고 실천하는 것이 시급한 것 같다. 그렇

더라도 우리의 딜레마는 삶이나 사고, 상상의 그 어떤 양식도 불
가능할 만큼 수행성 체제가 팽배해 있다는 점이다. 그렇기 때문
에 우리가 또 다른 세계관을 그려 보거나 실험할 수 있는 통로
가 되는 모델은 오로지 사변적 실천들뿐인데, 이 안에서 예술은
자율적 공간으로 기능할 수 있다. 예술은 관계, 비교, 교환, 측정
에 의해 포착되는 위치를 벗어나기 때문에 적어도 몇몇 특정 맥
락 안에서는 여전히 고찰되고 중시될 수 있기 때문이다. 수행성
의 편재를 벗어나 가설의 형태로라도 삶이 실천될 수 있는 영역
으로 유일하게 남아 있는 곳이 바로 예술일지 모른다. 물론 예
술은 회화든 오브제든 텍스트든 시든 춤이든 음악이든 언제나
세상과의 관계에선 수행적이다. 결국 모든 예술은 예술임을 비
롯해 참 많은 것들을 수행하지만 그렇다고 해서 예술과의 조우
가 발생시키는 체험 역시 수행적이라고 자동으로 연결되진 않
는다. 어쩌면 심지어 현존을 지닌 체험을 예술이 발생시킬 수
있는 건 아닐까?

수행성에 대해 어느 정도 살펴본 이후에, 우리가 체화라고
부르는 용어 혹은 개념, 아마도, 음, 1990년 이후에 존재감을 얻
은 이 용어로 우리가 의미하는 바가 뭔지 생각해 보니 흥미롭
다. 우리는 실제로 몸에 접근할 수 없으니—결국 비담론적인 거
니까—수행성의 측면에서 보자면 몸의 영역이 몸의 영역이려
면, 몸의 영역이면서 동시에 담론적일 수는, 그러니까 우리가
몸에 대해서 아는 바에 불과할 수는 없다. 사실 우리는 몸 자체
와는 아무런 접촉이 없다. 다르게 말하면, 우리가 마주하는 것
은 몸의 여러 가지 재현이나 몸의 부위 등이다. 따라서 체화는
개인이 자신의 몸이나 몸들에 관해 겪는 체험이지만 사실상 그

체험 안에는 그 어떤 몸도 없다. 체험이란 우리가 언어의 형태로 파악하고 치환하는 것이기 때문이다. 그렇다, 체험이란 좋든 싫든 언어를 통해서만 접근과 소통이 가능하다.

한 가지는 분명하다. 체화에는 진실하든 진정하든 독보적이든 그런 건 전혀 개입되지 않는다는 점. 체화는 예를 들어 한 개인이 담론의 층위들을 동기화할 수 있는 능력의 성공이나 실패를 측정한다. 이 담론 중에서 한 개나 몇 개는 몸, 몸의 외양, 관계, 움직임과 관련되고 다른 것은 이를테면 개인의 계급, 노동과의 관계, 돈, 생활 조건, 파트너십, 우정 등과 관련된다. 이런 담론들은 절대 별개가 아니고 필연적으로 언어의 복잡한 덩어리들을 통해 긴밀히 엮여 있다. 이 담론 중 어느 것도 개인에 속하거나 개인이 고안한 것이 아니고 언제나 혼합들, 점유들, 대여들이든지, 개인이 물려받거나 떠안거나 강요당한 것들이다. 어떤 개인이나 공동체는 소망된 체화를 지닐 능력이나 허가, 권리가 없을 수 있는데 이것은 분명 우리가 함께 맞서 싸워야 할 비극이다. 그러나 수행적 체제들이 현존이나 진정성을 허락하지 않기 때문에 체화는 결코 느껴지거나 체험되는 것 이상은 될 수 없다. 언제나 협상 가능하지만 절대 무조건적이지는 않다는 얘기다. 결국 체화는 개인이나 공동체가 세계 안에 자리한 자신의 외양과 움직임에 관해 갖는 권력이나 권한성을 측정한다. 체화의 형태들을 실천하는 것이 금지된 사람도 있을 수 있고 트라우마를 겪거나 자신의 체화와 비대칭적 관계를 맺는 사람도 있을 수 있지만, 이 세계에서 개인이든 공동체든 오브제든 무엇이든 간에 체화를 갖거나 담지 않을 수는 없다. 어느 정도의 체화를 경험하는 것, 어느 정도의 확실한 감정을 느끼고 체화된 자아를 부정당하는 감각을 갖는 데는 여러 가지 방법이 있지만 토대와 기반을 갖춘 체화를 가질 수 있는 방법은 없고 체화된 자아와 관련해 진실된 것도 당연히 없다. 체화를 덜, 혹은 더 체험하는 방법은 수없이 많다. 어느 정도의 편안함을 느끼고 자신의 체화를 통해 승인을 받지만 물론 또 체화된 주체를 통해 자기표현을 할 수 없음을 체험하거나 심지어 바랐던 체화의 형태를 부정당할 수도 있다. 그러나 체화된 나의 자아와 닿아 있음을 얼마나 느끼느냐에 상관없이 우리는 그것으로 완전하게 현존하거나 완전하게 뿌리를 내리거나 자신의 체화 속에서 분명한 토대를 지닐 수 없다. 그렇지만 가장 중요한 것은 체화가 실제가 아니라 허구라는 것, 그 어떤 진리와도 무관하게 인위적으로 구축된 역량이라는 점이다. 알다시피 진리, 나 자신에게 진실하기, 그리고 진리의 느낌 사이에는 진정으로 차이가 있다. 모든 것은 체화를 운반하며, 그렇지 않다면 자기 자신과의 관계들을 비롯한 이런저런 관계에 개입하거나 개입된 상태에 놓을 수 없게 된다. 그러므로 체화는 진리가 아니라 언제나 덧없다는 것이 우리에겐 행운이다. 그럼에도 불구하고, 길든 짧든 '온전한' 체화, 권한이 주어진 체화 등을 보장받았던 개인과 공동체는 자신의 체화된 자아가 좀 더 불안정해지고 당연한 것으로 받아들여질 수 없게 될 때 분명 위기감을 느낄 수 있을 것이다.

체화는 결국 몸과는 사실상 무관하고 권력과는 아주 많은 관련이 있다, 수행성 체제 안의 모든 게 그렇듯이.

현존과 토대로부터의 일탈은 자유도 아니고 개인이 가진 선택의 자유조차 아니며, 권력의 무소부재이다. 현존으로부터의 일탈은 분명 운명이란 것에 취소 선을 긋지만 결코 독립성은 아니다. 오히려 관념화된 권력, 토대가 없어 스스로를 책무성과 분리시킨 권력 형태들에 점점 의존해 간다는 뜻이다. 정말이다. 날 믿어요!

## 2021년 1월
### 반복되는 질문들

어떤 사람들은 질문에 답을 할 때 먼저 질문을 한 번 반복하는 것으로 시작한다. 글자 그대로는 아니더라도 대략. 지루해 죽겠다.

이런저런 영화감독, 공연 예술가 등등의 인터뷰를 생각해 보면 물론 잡지에선 그렇지 않지만 대답을 풍부하게 하는 방법으로 해당 질문을 꾸준히 반복하는 사람이 있다. 왜 그러는 걸까? 진짜로? 너무 쩨쩨한 거 아닌가?

저 위쪽이 너무 느려서 대답을 하려면 질문을 꼭 반복해야 하는 걸까? 질문을 반복하면서 적절한 답을 낼 수 있게 시간을 버는 전략일까? 틱이나 강박 행동 같은 걸까?

그 사람들의 파트너가 (이런 질문을 하는 사람이라면) 질문할 때 어떻게 반응할지 궁금하다. "섹스 할래?" 침묵. "내가 섹스 하고 싶냐고." 침묵이 흐른 다음 "아, 잠깐 생각해 보고 내 정신이 그런 제안을 어떻게 받아들이는지 한번 볼게."

"안 하는 것이 좋겠습니다"라고 말하는 바틀비를 떠올리게 하는 테크닉인지도 모르겠다. 컨트롤을 잃지 않으면서 슬쩍 빠져나가는 방법, 뭐 그런 거? 아니면 질문을 자기 것으로 만드는 수단으로서 반복하는 거라면 어떨까? 온 세상 사람들이 자신을 음해하려 한다 생각하는 편집증의 소유자들이 상황에 대처하기 위해 고안한 트릭일까? 아니면 어떤 분열증적인 경향으로서, 내 인격 하나(나의 '공적' 페르소나)가 질문을 받으면 이제 그 페르소나가 다른 인격들에게 물어보든지 엘비스에게 조언을 구해야 하는?

흥미롭다. 아니, 어쩌면 그닥 흥미롭지 않을지도. 하지만 예술이 그런 식으로 기능하는 거라면 어떨까. 대답의 시작 부분으로 질문을 반복하고 나머지 부분은 질문을 정당화하는 것이다. 안타깝지만 나는 정확히 그렇게 작동하는 동시대 예술이 너무 많다고 생각한다. 아니면 이것은 제작 의뢰, 지원서, 예술 리서치, 심사 위원, 위원회에 대응하는 방법, 단적으로 신자유주의 정책의 시대에 '성공적인' 아티스트가 되는 방법, 유일하진 않아도 효과적인 그런 방법일지도 모르겠다.

예술의 동기는 때때로 질문을 제기하는 것이다. 좋다, 하지만 질문에는 답이 내포되어 있으니, 혹은 무언가 응답이 되기 위해서는 질문이 제시하는 이해의 양식에 상응할 필요가 있으니 이것은 문제가 아닐까. 답은 맞거나 틀리거나 부분적으로 틀릴 수 있겠지만 질문과 호응이 안 되면 안 된다. 인과랄지 환상이 깨지기 때문이다. 즉, 있는 그대로의 세상을 확인해 주는 예술이.

가끔은 이 공식이 한 발 비켜나 구체적인 질문 제기 대신 좀 더 복잡하게 '예술은 의문시해야 한다'를 넣을 수 있다. 이 경우 보통 두 가지 덫으로 귀결되는데, 대답을 제공하려 애쓰는 예술이 되거나 자신이 대답을 알고 있지만 관객이 직접 찾아내길 바란다는 이유로 일반인보다 조금 더 똑똑해 보이는 예술이 된다. 정말 정이 안 간다.

　우리는 이것을 뒤집어서, 호응되는 질문이 존재하지 않는 대답들을 선사하는 게 예술의 임무라고 제안할 수도 있다. 개입된 관객이 집으로 돌아가 새로운 질문을 구성해 내든지 온라인 토론 그룹을 만들어 다른 책임 있는 시민들과 함께 질문을 찾아볼 거라고 생각하면서.

　이 대답이라는 개념은 작품 창작이 갖는 의미와 관련하여 예술적 실천 이면에 어떤 사변적 측면이 있음을 상정하기 때문에 참 흥미롭다. 사변적 예술은 예술가가 뭐에 대해 작업하고 있는지 스스로 알 수 없고 그 가능성에 대한 흐릿한 표상(vorstellung)이나 힌트, 느낌을 가질 수 있을 뿐이라고 암시한다. 실로, 예술가가 대답을 명료하게 표현할 수 있다면 새로움이 부족한 것이다. 사실 새로울 게 전혀 없고 기껏해야 신선한 정도다.

　예술적인 직업에 대한 이런 이해 방식, 더 정확하게는 예술에 대한 이런 몰입은 과정이나 생산에 종속될 수 없는데, 그 이유는 과정과 생산 모두 어떤 일관적 형태의 서사를 함의하기 때문이다. 어떤 결과로 이어질지 모호한 그림 정도나 있을 법한 대상의 생산에 관여하는 것은 좀 어려운 일이고 이 점을 예술 위원회들은 무시하는 경향이 있다.

　항상 기억해야 할 중요한 내용이 두 가지 있다.

　예술은 정보가 아니다. 예술이 정보가 되는 순간 소통의 효율성, 파급력, 또 경제적인 명분 자체를 고려하지 않을 수 없게 된다.

예술은 문화가 아니다. 예술이 문화가 되는 순간 기존의 문화나 관계 체계 안에 내놓는 발언의 결과를 무시할 수 없게 되므로 예술은 측정 가능한 것, 미적 평가보다는 윤리적 평가의 대상이 되어 버린다.

자크 랑시에르의 2004년 저서 『해방된 관객』을 떠올려 보면 예술의 책임은 관객의 생각이나 성찰을 끌어내는 것이어서는 안 된다. 랑시에르가 적절하게 주장한 것처럼 그 경우 관객의 독립성이 묵살되고 예술은 가이드가 되어 버린다. 이 프랑스 철학자의 주장에 따르면 예술의 임무는 관객이 사유를 발생시키거나 생산하게 하거나 그럴 수밖에 없도록 만드는 것이다. 사실은 이와 꽤 반대다. 두말할 필요 없이 우리는 어떤 식으로든 익숙하거나 인식 가능한 것, 자신의 세계에 새겨져 있거나 접근이 가능한 것이 아니면 성찰할 수 없다. 곧 내가 성찰할 수 있는 대상이란 자동으로 나의 세계관, 자신에 대한 이해, 타인과 지구와 우주에 대한 전망을 확인시켜 준다는 얘기다. 마찬가지로, 내가 뭔가에 대해 생각할 때 생각의 대상에 다가가는 것은 나고, 이때 그 대상을 내 지식의 범위와 스펙트럼 안으로 끼워 넣지 않으려 하는 건 불가능하다. 즉, 내가 그 대상을 통합시키고 사유화하여 내 것으로 만들고 내가 아는 다른 것들 사이에 위치와 장소를 지정해 준다는 것. 다시, 이미 주어진 것과 이미 알려진 것의 강화다.

예술은 그런 게 아니라 지식에의 포섭으로부터 물러나려, 정보로 변하지 않으려, 심지어 이름을 얻지 않으려 해야 한다는 것이 랑시에르의 제안이다. 어떤 방식이 됐든 미끄럽고 난해하고 이상하고 아리송하고 해독 안 되고 우연적이고 기타 등등, 거기에 위치를 지정받지 않으려 하는 예술만이 관객이 사유를 발생시키고 생각을 창출하게 만들 수 있다. 아니면 이것을 감정 이나 느낌, 감각, 무아지경, 두려움이나 약간의 메스꺼움 체험 이라고 부를 수도 있다. 똑같다. 주체에 가해지는 그런 영향 역 시도 어떤 식으로든 소화되어야 하는 거니까 말이다. 랑시에르 가 해방을 얘기할 때 그것은 독립하는 청소년이나 '스스로 생각 하기', 세상을 향해 가운데 손가락을 치켜드는 것과는 다르다. 그 해방은 개별 관객이 자기에게 속하지는 않으나 존재하고 있 는 하나의 사유를 발생시키는 순간이다. 해방된 관객은 독립적 이라거나 많은 권한성을 가졌다기보다는, 자기 자신을 뒤로 하 고 주체를 잃고 권한성을 포기하며 정체성에 사표를 내고서 발 생된 사유를 택한다. 그러나 그런 내려놓기에도 괜찮은 면이 있 다. 그 순간 관객 자신이 이 세계 안에 새로운 형태의 권한성을 도입할 수도 있기 때문이다. 따라서 사유를 발생시킨다는 것의 함의는 어떤 대상에 접근하는 게 아니라 미처 알려지지 않은(심 지어 알려지지 않은 미지) 것의 접근을 받음으로써 내 사고 범 위에 뭔가를 통합시키는 대신 통합의 바람을 버리고 (종류가) 다른 지식 형성과 새로운 관련을 맺는 것이다.

　　잠시 정신 분석학적 용어를 써 보자면 관습적 관객은 욕망 에 개입하고 해방된 관객은 주이상스에 자신을 바친다고 할 수 있을 것이다.

　　여기서 아름다운 점, 어쩌면 무서울 수도 있는 점은 한 개인 의 해방이 터져 나오는 순간, 새로운 종류의 지식 안으로의 통 합이 부상하는 순간, 다른 모든 개인, 사람, 생물체 등등에게도 이것이 가능해진다는 거다. 관습적 관객 행위가 개인적이면서도 공유된(관객인 우리) 것, 뜻밖이지만 관습적인 것이라면 해방의 순간은 독자적이면서도 보편적인, 평범하면서도 벅차오르는 순간이다.


## 2021년 2월
## 당신 언제까지 할 거예요?


"당신은 해냈어요, 폴록. 완전히 열어젖힌 거예요." 할리우드 최고의 장면 가운데 하나다. 폴록의 아내 리 크래스터의 역할을 맡은 마시아 게이 하든이 폴록의 획기적인 드립 페인팅을 축하하는 순간. 이 장면과 영화는 점점 더 좋아진다, 폴록을 연기한 에드 해리스가 감독도 했다는 걸 알면. 에고다.

그러나 할리우드가 딱히 과하다기보다는 약간 그런 정도다. 왜냐하면, 사실상 거의 모든 서구의 역사 쓰기가 똑같은 전략을 사용하지 않는가? 남성 백인 주체성과 천재성, 그리고 그것이 발생하는 순간—에드 해리스 겸 잭슨 폴록이 드립 페인팅을 우연히 발견하는 순간을 찬양하면서. 멋지다.

정확히 그렇다, 우연히 이런저런 것들을 마주친 후 그 우연한 계기를 통해 약간 천재가 되는 개별 남성들이 서구 역사의 전부다. 팀워크도 한 번 없고, 저걸 파악해 낸 건 리 크래스너였을 수도 있지만 그걸 누가 신경 쓰겠으며, 정황과 대화와 교류와 탐구의 그물망도 필요 없다. 전혀. 언제나 천재성의 발로다.

두말할 필요 없이, 천재성의 컬트는 영원한 게 아니라 사유재산의 이해, 사회와 진보성의 관계 등 여러 가지 정황의 결과다. 간단히 말해 자본주의에게 천재가 필요하니 천재들을 좀 만들어야겠고, 권력 관계가 유지될 수 있게 적절한 종류로 만들자는 거다. 사실 천재들은 무엇보다 고통 받는 경우가 많은 것 같다. 맞다, 천재에겐 꽤 많은 기대를 걸게 된다. 문제시해야 할 것은 천재가 아니라 그 모든 천재들의 입지를 선택하고 유지해 온제도와 권력이다.

예술의 경우, 작업실에 외롭게 틀어박힌 채 돈도 없고 땔감도 없어 장갑을 끼고서 그림을 그리거나 작곡하는 남자들의 수많은 이야기들은 너무 재미있다. 하지만 우리 모두 이런 이야기는 다 지어낸 것이고 설령―1947년의 그 겨울은 정말로 추웠느니 어쩌느니―약간의 진실이 담겨 있다 해도 회화를 비롯한 모든 것이 결국 그 자리에 가게 된 이유는 자본주의가 진보를 이해하는 방식, 시장의 포화, 권력과 부의 분배, 그 외 분석하고 탐지하기 꽤 쉬운 것들과 훨씬 더 많은 관련을 맺고 있다.

우리가 자본주의의 첫 번째 금언이 어떤 대가를 치르더라도 확장하는 것이라는 데 동의한다면 예술이라고 다를 수 없다. 구상 회화의 단절에서 오늘날까지 이어지는 계보는 다른 업계의 계보와 하나도 다를 게 없다. 공화제와 부르주아 문화가 등장하기 전에는 회화에 대한 부차적인 시장이 존재할 수 없었기 때문에 갤러리스트도 없었다. 공화제의 등장과 귀족 사회의 종말 이전에는 회화에서든 다른 어떤 예술에서든 진보의 조건들이 전적으로 달랐다. 따라서 아방가르드도 없었다.

사실 변화라는 것이 중시되지 않았기 때문에 잘나가는 화가는 자기 마스터의 지시에 따라 그림을 그리면서 전통을, 또 그럼으로 해서 봉건적 가치를 유지할 수밖에 없었다.

그러니 폴록은 아무것도 발명하지 않았고, 그런 사건을 필요로 했던 건 자본주의였으며 폴록은 운 좋게 그 길목에 서 있던 것뿐이다. 회화의 역사, 예술의 역사는 남성 천재의 역사가 아니라 자본주의의 역사다.

그 자리를 대신하는 열쇠는 대안적인 새 영역을 개척하거나 경계를 확장하여 시장 안에서 내 위치를 공고히 하는 것이다. 그러나 잘 들어 두길—너무 많이 확장해 버리면 기존에 확립된 시장에서 그냥 떨어져 나와 구닥다리로 밀려나가거나 배제될 수 있다. 당신의 제안은 시장이 가진 다양한 이해관계를 풀죽게 할 테니까. 성공적인 20세기 예술가는 확장과 공고화의 균형감을 장악할 수 있었던 사람들이었다. 당연히 시니컬했고, 어쩌면 그래서 이야기가 다르게 쓰인 건지도 모른다. 영웅적이라는 게 크게 나을 건 없지만 시니컬보다는 낫다. 예를 들어 재현과의 전쟁이 이상이나 헌신, 신념의 문제가 아니라 쇼에 끼기 위한 전략적 전투에 가까웠다는 사실을 묵묵히 받아들이는 것도 조금 슬프다.

물론 이 정도로 간단한 건 아니지만 거의 그렇다. 일반적으로 회화의 역사에서 추상은 '논리적인' 단계라고 이해된다. 일어날 수밖에 없었던 일, 나머지가 모두 고갈돼서 회화의 '존재'를 포착하려면 구상이나 묘사 등을 없애야 했다고 말이다. 그런데 목소리를 낼 수 없었던 또 다른 이유가 있었다면 어떨까. 화가건 무슨 예술가건 간에, 특히 2차 대전 후의 미국인이었다면 소위 '나의 이야기'를 그림으로 그리겠다 결심했을 때 그들의 운명이 피난과 빈곤이었을 가능성도 똑같지 않은가. 어떤 관점에서 추상이란 재현을 둘러싼 관습과 벌인 영웅적 전투이기도 했지만 다른 관점에서 보면 예술가의 주체, 정치적 입장, 섹슈얼리티, 계급, 그 밖에 온갖 것들을 가장하기 위한 연막이었다고 할 수 있다. 50년대의 추상은 공산주의자로 알려지지 않기 위한 방안이었다. 그림 '안에' 있을 수 있으나 결코 재현되어선 안 되는 것. 이제 생겨나는 질문은 오늘날 회화에서 추상은 무엇이며 무엇을 하는가, 즉 그 실제 가치와 관계적 가치이다.

　　그렇기는 하지만, 재현을 둘러싼 모더니즘의 전투들을 살펴보면 그 관심사가 대체로 이 전투들을 꼭 미술관이나 갤러리의 세상 안에 두기 위한 거였다는 점, 문 정도는 열어 둘 수 있지만 사람들의 웅얼거림이 꼭 들릴 정도의 거리에 두기 위한 거였다는 점이 놀랍다. 그것은 미메시스적 실천으로서의 회화에서 자신만을 참조하는, 즉 자신을 넘어서는 가치가 없는 회화까지, 주로 그림 안에 무엇이 있느냐에 관한 전투였다. 그런 면에서 모더니즘 회화는 비관계적 예술이었다. 우리는 이 위치와 시점에서 '보는 이의 눈에 달렸다'는 것을 이해해야 하는데, 자신을 참조하는 작품 앞에서 우리가 체험하는 것은 체험을 체험하는 나 자신, 자기 참조적 체험이기 때문이다.

　　현대 회화의 추상적 경향을 간단히 되돌아보면 이런 시도들을 연속적인 것—비판적이거나 우호/선망이거나 바보 같거나 초영리했거나 등등—으로 해석하고 싶은 마음이 들지만 전부 다 뒤바뀐 거라면 어떨까. 오늘날 추상은 단지 경제의 문제일 수 있고 실제로도 물론 그렇지만 나는 그것이—아주 드문 경우라 할지언정—재현의 문제시나 수정의 문제도 아니고 어떤 연막 뒤로 물러나는 문제도 아니라고 생각한다. 그렇다, 문제는 추상이 도대체 추상이긴 한 건지 그렇게 보일 뿐인지이다. 내가 볼 때 오늘날의 회화는 상당 부분 추상을 제쳐 두고 이미지와의 미메시스적 관계로 다소 퇴화해 버린 것 같다. 핵심은 이것이 이미지 '안에' 무엇이 있는지, 우리가 무엇을 볼 수 있는지에 관한 미메스시적 관계가 아니라는 거다. 이것은 현상의 미메시스에 관한 문제다.

한 점의 회화, 아니 사실 대부분의 예술 작품은 추상적이어 보이지만 실은 미메시스적일 수 있다. 모방된 대상은 당신이 보는 것이 아니라 체험하는 것과 관련되기 때문이다. 오늘날 회화는 체험, 특히 동시대적이면서 현대의 개별화된 자유주의 주체를 만족시키는 체험들을 모방한다. 회화는 페이스북 하기, 인터넷 서핑, 컴퓨터 게임, 이베이 둘러보기나 쇼핑의 체험을 모방하며, 이것이 참 적절한 이유는 내가 추상 회화에 대해 고찰하는 그 동일한 시점에 인스타그램에 사진 올리기나 이베이 경매 따기, 게임의 다음 탄으로 넘어가기에서 오는 흥분을 느끼기 때문이다.

마찬가지로 우리가 오늘날 네트워크화된 회화(networked painting)를 이야기한다면 그건 전혀 비판적인 게 아니라 그냥 전화를 할 때처럼 갤러리 안에서도 관람객이 연결성을 느끼도록 하는 또 하나의 수단일 뿐이다.

아까 그 영화에서 어느 기자가 "그림이 다 완성됐다는 걸 어떻게 아시나요?"라고 묻자 에드 해리스는 "사랑을 나눌 때 당신은 끝났다는 걸 어떻게 알죠?"라고 답했다. 이걸 다른 말로 어떻게 표현해야 될지는 모르겠지만 천재를 둘러싼 서구의 서사는 분명 끝나지 않았으며, 모든 것의 동등화와 호환성 같은 것에 따라 재현을 둘러싸고 해야 할 전투도, 미메시스와 추상 사이의 전투도 존재하지 않는다. 그냥 어쩌면 추상이라는 게 그럼에도 불구하고 열쇠일 수 있는데, 재현과 관련해서 그렇다는 것이 아니라 연결된, 도구적, 윤리적, 정치적, 경제적인 체험이 아닌 체험 그 자체를 생성하기 위해서이다.

## 2021년 2월
### 극장도 나를 좋아한다

요즘 사람들이 이야기하는 생태주의는 자동적으로 전 지구적 기후 변화, 야외, 사라져 가는 열대 우림과 재앙과 연결된다. 구해야 할 것은 언제나 이 세계이며 온 지구가 가라앉으려 한다고. 맞는 말이다. 그렇지만 생태주의가 언제부터 기후 변화, 거시 관점과 동의어가 된 걸까. 나만 멀리서 이렇게 느끼는 걸까? 항상 북극의 빙하가 녹는다거나 브라질 열대 우림이 불에 타고, 또 어디엔 허리케인이 오고 소고기가 무한대로 중국에 수출된다는 얘기뿐이다. 우리가 지역적으로 하는 일은 거의 집 안에서만 이루어지고 있다. 고기를 덜 먹고 쓰레기를 분리하고 전기 차 대여 앱을 깔고, 또 뭐 있지? 우리는 어떻게 이 문제에 개입할 수 있을까, 특히 만 열여섯 살이 넘어 금요일 등교 거부에도 참가할 수 없다면?

　　바다를 가득 메운 플라스틱이나 유명인의 저택을 집어삼키는 산불 이야기를 SNS에 공유하는 것 말고 우리가 개입할 수 있는 방법은 뭘까? 아니면 그것도 안 되나? SNS 양심이 진짜배기를 대체해 버리고 말았다는 것, 아니면 자신의 무지를 인정하지 않아도 되게 만들었다는 건 조금 비극적인 일이긴 하다.

　　모든 관계는 하나의 생태주의를 운반하고 실천한다. 개인이 식물, 계절, 흡연, 자동차 산업, 스웨덴인, 레이브 문화 등과 맺는 관계만큼 자기 자신과 맺는 관계도 말이다. 간단히 말해 생태주의는 관계를 구성하는 요소 간에 존재하는 것이며 그 관계는 미시 생태와 거시 생태, 정신적이든 관계적이든 환경적이든 퍽 단순한 생태에서 대단히 복잡한 것에 이르는 다양한 힘 사이를 미끄러지는 역동적인 관계들이라고 할 수 있을 것이다.

　　생태주의를 바라보는 또 다른 방법은 이것이 일종의 멘탈리티나 가치관, 태도로서 이를 통해 나의 정신, 관계, 환경을 인식하고 그에 접근한다고 보는 것이다. 모든 관계에 특수한 멘탈리티이면서 동시에 지역적, 국가적, 지구적 층위에서 공유된 서사와 관습에 기반하고 상응하는 멘탈리티. 결코 나만의 것이거나 개별적이지 않고 언제나 생산되며, 복잡한 관계망을 통해 무의식적으로 생산되는 경우도 많지만 다양한 권력을 가진 제도, 시장, 공동체, 개인이 착수시키고 돈을 댄 압력이나 로비를 통해 생산되는 경우도 그만큼 잦은 멘탈리티.

　　어떤 공동체에게는 강력하고 빈틈없는 멘탈리티를 만들어 공동체를 보존하거나 외부 압력을 견딤으로써 가시성을 획득하든지 공포를 조장하든지 절망을 회피하는 것이 필수적이다. 축구 팬, 시인, 헬스 엔젤스(Hells Angels), 중산층 엄마, 주식 브로커, 수많은 기타 등등의 사람들이 자신의 입지를 내세우기 위한 강한 멘탈리티 생성의 필요성을 느낀 바 있다. 다른 공동체들은 멘탈리티나 생태주의를 실천할 허가를 받지 못했는데, 그러한 욕구는 있으나 자신들의 관계 맺기 양식을 공유하기 위해 대안적 모델을 전개시키는 경우가 많기 때문이다.

세계와 대지, 그리고/혹은 이 행성을 구하려면 우리가 보존해야 할 것은 자연이 아니고, 우리가 청소해야 할 것은 바다가 아니며, 탄소 배출 과세를 도입해야 하는 것도 아니다. 이런 것도 다 해야 하고, 그것도 시급하게 해야 하지만 미시적 층위든 거시적 층위든 세상을 향한 우리의 멘탈리티가 계속되는 한, 그모든 노력과 셀 수 없이 많은 돈을 들여 봤자 우리를 구할 수 있는 건 끽해야 한 20분 정도 될까 말까, 엄청나게 짧은 시간일 것이다.

2015년 파리 협정을 몇 시간 동안 들여다보지 않아도 정치와 정치인, 기업과 CEO들이 환경을 위해 형식적인 행동밖에 하지 않으리라는 걸 알 수 있다. 간단하다. 과도한 영향력을 가진 과도한 수의 권력들은 잃을 것이 과도하게 많아 문서의 모든 페이지는 그 누구도 열 받지 않게 하려는 양보의 냄새가 풍긴다. 의회 민주주의는 권력의 응고를 막는 데는 훌륭한 수단이지만, 이것이 각 정부의 문제로 남을 경우 뭐라도 구할 수 있는 수준의 합의는 결코 없을 것이다.

어쩌면 새로운 종교가 해결책일 수도 있다. 창조자 등등이 없으면서도 일종의 헌신을 요구하는 세속적 종교. 아니다, 아닌 것 같다. 신념 체계를 발달시키는 건 오래 걸리는데 금방 100억을 위한 종교를? 본부는 제네바에 둬야 하나? 유럽이나 미국에 두는 건 안 좋은 생각인 것 같으니 남반구 어디에서 방안을 찾는 게 좋겠다. 내가 이해하는 바로는 세계 기후 변화와 거기서 파급되는 문제는 오로지 돈 무더기, 엄청나게 쌓아 놓은 돈 무더기 및 처벌이 극심해 어기고 싶은 마음이 안 드는 규제를 통해서 대처할 수 있다고 생각한다. 하지만 이 방법은 또 심각한 불평등과 사기, 암시장, 저항, 전쟁에 길을 내줄 것이다.

사실상 인류 역사 전체에 걸쳐 우리의 문제는 자연에 맞서기에 너무 약하고 작고 적다는 것이었다. 이 때문에 인류는 인정사정없는 자연의 힘으로부터 스스로를 보호하기 위해 노동과 자연의 관계들을 구성해 왔다. 우리의 노동 윤리는 결국 우리가 자연을 일시적으로 또 부분적으로 길들이는 방식, 협력의 형태나 순전히 생존의 전략을 만들어 내는 방식의 결과다.

20세기 인류는 자연을 장악하고 한 단계 올라서서 어느 정도의 평형 상태를 만들어 내는 방법을 터득했고 그 이후엔 자연이 절대 복구되지 않을 정도, 적어도 이 지구상에서 우리에게 주어진 시간 동안에는 복구가 안 될 정도로 자연에 해를 입히는 여러 가지 기술을 창조했다. 문제는 기술도 아니고 사람들이 사악하다거나 무신경하다는 사실도 아니다. 문제는 노동과 자연의 관계를 수정하거나 꼼꼼하게 살피지 않았다는 점이다. 사실 우리는 아직도 자연을 대할 때 우리보다 힘 센 존재, 변덕을 부리면 우리를 휩쓸어 버릴 수 있는 것으로 생각한다. 바뀌어야 할 것은 노동과 윤리, 두 가지 힘 사이에 정립된 관계 혹은 멘탈리티다. 인류는 기술이 자연을 지탱하거나 자원을 만들거나 지속 가능한 물질을 개발하는 데에도 쓰일 수 있도록 발전을 시켰지만 우리가 노동과 맺는 관계가 변하지 않으면 이 일은 강제로 일어날 수밖에 없다.

인간과 인간 사회는 수백만 년 동안 자연과의 조화 속에서 살았다. 항상 좋은 조화였다거나 조화롭게 살았다는 건 아닐 수 있지만 그래도 조화 속에 있었다. 관점에 따라 조금 다르겠지만

15세기에서 18세기 사이에 뭔가가 변화하기 시작했다. 이른 출발점을 택한다면 식민 지배와 그 폭력을 중심으로 삼을 것이고, 1784년의 증기기관 발명을 출발점으로(더 정확하게는 증기기관을 더 믿을 만하게 만들어 준 특정 특허) 보는 이들도 있다. 식민주의와 증기기관 모두 노동력의 탈인격화 혹은 자율성과 관련된다. 노예 노동을 통해서든 인력을 대체하는 증기기관을 통해서든 말이다. 강제 노동에 의해서든 기계에 의해서든 산업적 규모의 생산력이 함의하는 것은 우리가 세계 및 대지와 맺는 관계의 근본적인 변화다. 인류는 지구의 자원, 특히 석탄과 석유를 착취하는 능력을 얻게 되며 그 힘은 이 세계가 회복하지 못할 정도로 강력하다. 이런 공식을 지탱, 정당화하고 수익을 창출하기 위해서는 정치, 통치, 윤리, 법률, 사회, 경제 실천들이 새롭게 명시되고 확립되어야 한다. 수많은 단계를 거쳐 경제 조직이 자본주의로 통합되었고, 자본주의는 스스로 과학 및 사회 조직에 적응해야 했던 만큼이나 거꾸로 자신의 권력, 영향력, 조종 능력으로 엄청나게 커져 가는 지배력을 발휘했다. 알다시피 자본주의는 사유재산, 소유권, 토지, 임대, 부채, 조세, 특허 등등에 관해 매우 정확한 프로토콜들을 발달시키고 공고히 했으며 이것들은 이미 권력을 쥔 이해관계를 보호하기 위해 장착되었다.

　　두말할 필요 없이 권력은 권력을 발생시키고 이것은 당연히 법안, 관습, 처벌, 법적 강제, 군대, 교육, 이민 정책, 젠더, 인종 정치학, 상속, 섹슈얼리티, 이상적 신체를 비롯해 수많은 것들을 확립하는 문제에 있어서도 마찬가지다. 다시 말해 지구를 지키기 위해 가장 먼저 없애야 할 것은 자본주의이며 여기에 부의 축적을 더할 수 있겠다.

안타깝지만 작은 문제가 하나 있다. 자본주의는 멀리 보내 지지 않을 것이다, 어림도 없다. 절.대. 특히 자본주의는 한 치의 양심도 없는 기계로서 무슨 일이 있어도 살아남는다는 이념하 에 항상 바람을 등지고 걸어가는 완벽한 변절자이며 기회주의 자다. 문을 열고 반대편으로 넘어가 버리든지 아마존으로 돌아 가듯 자본주의에서 벗어날 수 있는 방법이란 없다. 그 주된 이 유는 세 가지다. 첫째, 우리는 자본주의가 극도로 가변적이며 변 화에 민감하다는 걸 이미 알고 있다. 둘째, 이것은 첫 번째 이유 의 연장선인데 과도한 수의 과도한 권력자들에겐 잃을 것이 과 도하게 많아 권력도 부도 내려놓지 않을 것이다.

세 번째 이유는 다소 복잡하다. 자본주의의 첫째 규율은 어 떤 대가를 치러서라도 확장하는 것이다. 어떤 자원이나 시장, 역 학이 포화될 때 자본주의는 확장해 갈 다른 대상을 찾는다. 쓰레 기 처리, 죽음, 전쟁, 우울증, 빚, 핵폐기물 보관, 기억, 상실의 슬 픔, 저항, 주의력, 수행성, 공유, 시간, 미래, 심지어 가능성까지 여기엔 끝이 없다. 무서운 건 지난 수십 년간 자본주의는 언어까 지 포섭하여 언어 자체가 하나의 금융 자산이 되는 정도까지 통 합해 버렸다는 거다. 더 무서운 건 상상을 자본주의적 상상으로 변모시킬 정도로 자본주의가 도처에 존재하게 되었다는 사실 이다. 언어가 포섭되어 버렸다는 사실까지 더하면, 우리가 상상 하는 것은 뭐가 됐든 삶과 세계, 그 밖의 모든 것에 대한 자본주 의적 이해를 통해 상상되는 것이다. 자본주의에서 빠져나가는 방법을 우리 스스로에게 상상해 주는 것은 자본주의적인 길이 될 것이며, 탈출한 우리는 더 많은 자본주의, 더욱 인간의 얼굴 을 했을지는 모르나 여전히 자본주의인 것을 만나게 될 것이다.

프레드릭 제임슨이 시사한 후 많은 이들이 반복해 왔듯이 "오늘날, 자본주의의 종말보다 세계의 종말을 상상하는 것이 더 쉬우"며, 실제로 자본주의가 상상을 포섭해 버렸다면 역시 그런 상상은 불가능할 것이고 우리가 또 다른 세상을 상상할 수 없는 거라면 자본주의의 종말은 정말 세계의 종말과 동일한 것이다.

예술과 무용에게 이건 짜증나는 일이다. 상상이 자본주의에 포섭됐다면 결국 자본주의의 심부름을 하지 않는 춤을 만드는 건 불가능한 거 아닌가? 반자본주의 무용조차도 자본주의와 어울리거나 그에 우호적인 방식으로 안티하고 반대하고 저항해야 한다는 건가? 춤이나 예술을 통해 만들어진 모든 도발조차 사전에 그 시장 가치를 계산할 수 있다. 굳이 수고를 들일 가치가 없는 거다. 아니면 음, 그래 뭐 나쁘지 않다, 어차피 돈 때문에 하는 거니까 적절한 사람들만 불편하게 하면 된다. 우리가 무슨 예술을 하든 그건 언제나 자본주의 예술이거나, 적어도 자본의 세계에서 잠재적인 금융 자산이 된다. 역시나다, 예술가와 예술 세계와 나머지 모든 것들은 너무 뿌리 깊이 시니컬해졌다. 시니컬이 아니라면 후기 히피 실천들로 변해 버려서, 영성, 신비주의, 마법, 제의, 타로 카드, 손금, 묵언 수행, 흑마술, 샤머니즘, 힐링 등 모든 것이 일종의 연막이나 속임수를 수행하면서 저 밖에 무언가 있고 간교한 말장난이 모든 걸 제자리로 데려다 놓을 거라는 환상을 만들어 내고 있다.

그러니까 솔직히, 스마트폰 앱으로 전기 차를 대여하면 바뀌는 게 있을 것이라거나 몇 개인지도 모를 플라스틱 통에 분리수거를 하고 비행기를 안 타고 노트북은 인터넷에서 중고로 사고 찬물로 샤워를 하면 기후 변화의 경로가 바뀔 거라고 생각할 정도로 순진한 사람이 있는가. 자본주의는 그런 데서도 돈을 벌고 있다, 걱정하지 마시라. 전기 차를 모는 건 정말 좋은 일일 수 있지만 기후나 세계를 구하는 문제와 관련해서 본다면 그건 마약 카르텔을 끌어내리려는 첫 단계로 골목에서 아주 조그만 잎가루 몇 봉지 파는 이민자 한 명 급습했다고 축하하는 꼴이다. 일은 그런 식으로 돌아가는 게 아니다.

예술과 정보는 깔끔하지 못한 콤비다. 예술은 많은 걸 알려준다. 무용 작품은 관객에게 자신이 무용 작품이라는 사실을 알려주고 60분 정도가 흐르면 종료되기 때문에 대략 1시간짜리 공연이라는 점, 기타 등등을 알려준다. 하지만 이건 정보의 전달자가 되는 것과는 좀 다르다. 무용 작품이든 다른 예술 작품이든, 그 어떤 것에 대해서도 관객에게 알려줄 의무는 없으며 이것은 예술이 신문이나 빨간 신호등과 아주 조금 차이를 보이는 지점이다. 예술이 정보와 관련되기 시작하면 까다로운 딜레마의 문이 열린다. 신문은 내용을 최대한 효율적으로 전달하기 위해 어느 정도 최적화되어 있다. 빨간 신호등은 안전한 교통 흐름을 유지하는 가장 효율적인 방법이다. 우리가 빨간불을 중시하는 건 미적 특성이 아니라 효율성 때문이며 빨간 빛이 정확히 어떤 느낌이 나야 하는지에 대해 토론하지 않는다. 분명하고 단순한 빨강이면 된다. 그런데 예술 작품이 미적 특성에 의한 평가와 정보의 전달과 소통 효율성 사이에 끼면 어떻게 될까? 평가와 감상의 두 가지 병렬된 양식이 충돌한다. 미적 평가와 효율성, 한쪽은 정서이고 한쪽은 효과, 전적으로 다르고 호환 불가능한 역량이다. 정서와 효과를 커다란 봉투에 같이 집어넣는 건 자동차 판매원에게 엔진 마력을 물었더니 "아, 약간 어두운 빛 도는 녹

색이랄까, 아웃포커스 된 게르하르트 리히터 그림을 가까이서 보는 거요"라고 답하는 꼴이다. "정확히 뭔지 잘 안 보이는데요?"라고 중얼거리면서.

신문이나 빨간불은 정보를 전달해 주기 위해 존재하고 그 임무를 다하면 우리는 그걸 잊어버리거나 재활용품 수거함에 넣는다. 신문은 다시 들춰 보며 함께 더 많은 시간을 보내기 위해 보관하는 물건이 아니다. 반면 모든 소식이 낡아 버려도 우리는 (다는 아니라도) 어떤 예술 작품으로 돌아간다. 마지못해서일 수도 있고 내 의지에 반해서일 수도 있지만 어쨌든 돌아간다. 나에겐 카라바조의 1606년 작 「엠마오의 만찬」이 그렇다. 이 그림은 당최 나를 그냥 내버려 두지 않는데 이유를 모르겠단 말이다. 다섯 사람이 식탁에 둘러앉은 400년 된 그림이라니, 어처구니없다. 분명히 정보 때문일 리는 없고 정확히 나의 정서적 반응 때문이다.

물론 자신의 춤이나 예술을 정보로 가득 채우고 세상의 불의와 비대칭을 전달하며 사람들을 돕고 가슴이 터질세라, 이 세계는 죽어 가고 그 잘못은 우리에게 있다 외치고 싶어지는 마음이 든다. 그런데 세상을 구하고픈 당신에게, 예술을 만드는 게 가장 효과적인 방법일까? 그런데 세상을 구하고픈 당신이 왜, 그 메시지를 시학이나 물감, 춤추는 사람들로 치장해야 할까? 그런데 세상을 구하고픈 당신은 왜, 작품이 미술관에 걸리기를, 심지어는 갤러리스트에게 팔리거나 어디 지나가는 무용 축제 가을 프로그램에서 공연되기를 바라나―그런 곳은 해롭거나 불편한 건 전부 중화시킨다는 걸 우리 모두가 아는데? 그

런데 세상을 구하고픈 당신에게, 예술과의 조우를 향한 그 열정
은 어떻게 된 건가?

　　90년대 초반을 전후한 몇 년은 정말 멋졌다. 당시 미술관이
나 극장, 춤의 무대는 사람들을 당황시키는 간섭의 형태들이 발
생할 수 있는 장소였다. 일하는 장소로서의 미술관, 「오델로」의
무대는 무료 법률 상담을 위한 난민 안내소로 탈바꿈한 「오델
로」의 무대, 퍼포먼스를 통해 위키피디아의 잡다한 정보들이
자기 생각인 것처럼 말하면서 1년간 쌓인 자기 쓰레기를 노출
한 안무가, 공항의 보안 검색대를 흉내 낸 미술 설치. 그런데 이
런 걸 요즘에, 정말? 이런 예술은 정말이지 시대에 뒤처졌다. 오
늘날 모든 미술관 관장은 관람객이 이런저런 것을 깨우칠 수 있
게 하는 것들을 약간의 인터랙티브, 수행성, 체험 경제를 곁들
여 프로그램에 너무 넣고 싶어 하며 그래야 한다. 오늘날 모든
예술 위원회는 저 위에서 내려오는 정책 문서에 기반해 어떤 프
로젝트(작품이 아니다)가 얼마나 효율적으로 취약 계층에 접
근하는지와 결과가 얼마나 긍정적인지에 따라 자원을 배분한
다. 오늘날 모든 정부는 1993년과는 좀 다르게 종류를 불문한
예술 기관들이 수치를 조달해 주길 바라며, 감동적이고 난해하
든지 그냥 사랑스럽든지 혹은 흉하든지 재미있든지 파티 같든
지 역겹든지 모호하든지 어둡다는 이유로 예술을 보여 주는 일
은 잊고 싶어 한다.

　　오늘날 예술이 경험하는 위기는 예술을 문화로 바꾸고 싶어
하는 권력과 영향력 있는 힘들의 욕망이다. 예술은 여러 문화 안
에서 창조, 공개, 보급되지만 문화가 아니다. 예술은 들리지 않
을지라도 주장을 내세우는 자율적 목소리들에 의해 운반되며,

문화는 잘 보이려는 중얼거림과 웅얼거림의 오케스트라다. 문화는 훌륭한 것이고 명백히 삶의 필수 조건이지만, 필수적이지는 않으면서 변화의 약속을 전달하는 예술이 아니다.

당신은 누구를 위해 예술을 만드나? 나 자신만을 위한 것일 순 없다, 그래도 몇 명한테는 꼭 보여 주고 싶으니까. 그래, 물론 나의 안녕을 위해서 하는 거지만 돌진하게 되는 건 라이브가 될 때다.

딱히 관객을 위한 것일 수도 없지 않겠나? 만약 그런 거라면 왜 춤을 고수하고 실험과 변화를 고집할까? 관객을 위한 거라면 나는 드라마트루그를 고용해야 하거나(하하하) 믿을 만한 관객을 잔뜩 모아 뭘 좋아하는지 물어봐야 될 것 같은데? 어쩌면 사랑받기 위해서 예술을 만드는 걸까? 그럴 수도 있긴 한데, 그럼 왜 그리 지독하게 어려운 작품을 만드는 걸까, 아주 두꺼운 역사 추리 소설 시리즈 같은 거 안 쓰고?

개인적으로 나는 예술, 나의 경우에는 춤을 만드는 것이 전반적으로 예술을 위해서, 춤을 위해서라는 대답 외에는 아무것도 구체화해 보지 못했다.

내 예술이 더 나아지고 더 잘되기 위해서가 아니라 포괄적인 의미에서의 예술을, 춤을 위해서다. 나는 살아가기 위해, 꽃 피고 변화하고 변신하고 굉장해지기 위해, 그리고 무엇보다 나를 잠들 수 없게, 짜증나게, 혼란스럽게, 희망을 갖게, 미소 짓게 만들고 내가 예술 하는 이유들을 문제시하기 위해 예술을 한다. 예술에 내가 기여하는 바는, 예술이 계속 복잡한 상태로 남고 결코 굽혀지지 않으며 자율성을 고집하고 절대 긴장을 풀지 않도록 하는 것이다.

　　주제넘는 것 같긴 하지만 씨발 뭐 어떤가, 이러다 내가 추락하여 웃음거리가 될 수도 있지만 적어도 나는 배가 가라앉는 동안에도 계속 나아간 거다.

*

생태주의에 관한 예술 혹은 춤을 만드는 건 불가능해 보인다. 우리가 가능한 한 빨리 개선하지 않으면 다음 세대들이 직면할 위험에 대해 관객들에게 정보를 주는 것. 춤을 만드는 일은 그렇게 많은 사람에게 닿지 않는다. 그러니까 당신의 미션이 세상을 구하는 거라면 표현의 창구를 바꾸라. 크게 가라.

　　그러거나 말거나 생태주의에 관한 춤을 만들겠다고 우긴다면 그건 누구의 이득을 위한 것인가? 아마 무엇보다 당신 자신을 위해 하는 것일 테다, 관객도 당신과 똑같이 인터넷에서 생태주의에 관한 글을 일이천 개쯤 읽었다는 거 당신도 알 테니까? 어쩌면 생태주의에 관한 춤을 만들어서—약간 과하게 뻔하게—관객과 예술 위원회가 당신을 아주 책임감 있는 사람으로 보게 만들기 위한 것일 수도? 당신 자신을 위해 하는가? 그런데 뭐가 됐든 간에 어떤 대상에 대하여 춤을 만든다면 그 대상에 비해 춤은 부차적인 거라는 뜻이니까 그건 조금은 춤에 대한 배신이 되는 거 아닌가? 어이쿠!

　　그보다 더 민망한 건 종류를 불문하고 생태주의적인 춤을 만드는 일일 것이다. 촛불만 사용해 볼까? 비행기 타는 건 당연히 안 되고. 그래, 기차는 좋지만 기차 탔다고 자축을 하진 말기를. 당신의 관객 전원이 바로 지난 주말 바르셀로나에 있었거나 테네리페섬에 출장이나 골프 휴가를 갔다 왔으니 더더욱. 의상은 다 헌옷으로 했다거나 A4 용지를 한 무더기 뽑으면 지구 기온이 올라가니까 프로그램 인쇄를 안 했다고 해서 자부심 느끼지 말기를. 정말 그러지 말자, 고도로 기발한 그런 전략들은 다 자랑일 뿐이고 우리 전부 얼굴이 화끈거려서 세계는 더 뜨거워지기만 할 거다.

내 생각엔 이 경우 춤은 미래의 기후 드라마에서 주인공은 못 할 거라는 걸 우리가 그냥 인정해야 할 것 같다. 어쩌면 이건 좋은 통찰일 수 있다. 다른 가능성이 열리기 때문이다. 춤은 이 세계에서 뭔가를 바꿀 만한 양적인 힘은 없지만 춤을 이용해서, 춤과 함께하고 춤에 주의를 기울이고 춤과 협력하는 등의 방식을 이용해서, 생태주의 멘탈리티를 문제시, 약화, 모호화하거나 심지어 다른 멘탈리티를 제안하는 방식으로 춤에 접근하는 가능성을 생각해 볼 수 있다. 그야말로 그런 동기들의 놀이터가 되는 것이다.

넓은 의미에서 춤을 분석하고 성찰하며 춤과 관계된 우리의 생태들을 발견해 전환을 시킬 수 있을까? 다양한 춤추기 방식이 이미 몸, 기반, 관계, 친밀성, 개별성, 그 외 수많은 것과 관련해 다양한 생태들을 제안하고 있다. 우리가 연습, 저자성, 의사결정 규칙 등의 측면에서 춤을 작업하는 방식들은 이미 생태주의적인 실천들이고 이 실천들은 아마도 인류가 지구를 다루는 방식을 반복하고 강화할 것이다.

생태들을 다르게 실천하는 춤, '대하여'와 '생태주의적'을 다 우회하는 춤, 자신의 예술적 존엄을 유지하는 춤, 동시에 다른 삶에 다가갈 가능성을 열어 주는 춤.

*

예술은 자유로웠던 적이 없다는 걸 우리는 모두 알고 있다. 물론 그러지 않았다는 게 아주 좋은 일일 수도 있다. 예술은 온갖 종류의 관계를 생성, 이동, 취소, 쇄신하고 그 모든 건 어떤 방식으로든 의존성의 형태들을 제안한다. 경제, 공간, 인가, 후원자, 왕, 교회, 국가, 예술 위원회, 미술관, 극장, 아카이브, 부모, 파트너, 동료, 경쟁자, 적, 친구, 이 모든 것들이 다 관계인데—좋든 열려 있든 사랑 넘치든 뭐든—그 관계가 그저 신뢰도가 됐든 약간의 존중이 됐든 모종의 보상을 요구하지 않는 경우는 절대 없다. 보고서나 증빙, 가이드라인이나 후원자 프로필에 부합하는 결과물을 요구하는 경우가 더 많긴 하지만.

　　예술의 자유를 향한 외침을 떠올려 보니 작은 결함이 발생한 듯하다. '하나 둘 셋, 예술은 자유롭다'(Ein, zwei, drei, die Kunst ist frei)는 말은 정말로 예술이 자유로운 것이다, 라기보다는 자신의 자유를 향해 언제나 분투하는 것이 예술의 책임이라는 뜻이었다. 불가능하더라도, 불가능하기 때문에 더더욱.

　　예술은 어느 정도 자유로울 수도, 속박되어 있을 수도 있으며, 그것이 얼마나 자원이 되든 폭력의 형태들을 시사하든 간에 예술이 분투하여 추구하거나 맞설 게 있다는 사실 역시도 예술이 만들어 내는 약속, 예술이 취하는 새로운 방향, 예술이 우리에게 강제하는 새로운 현실 인식의 일부다. 뭔가를 재현하는 예술은 필연적으로 약속의 감각을 만들어 낼 가능성—내가 제시간에 오겠다는 약속이 아니라 어떤 희망이라고도 볼 수 있을 조금 추상적인 약속, 수행성의 의미가 아니라 존재로서의 약속—을 포기하고 일종의 명령이 되어 버린다.

더 나아가서, 자유로워야 할 것은 예술이지 예술가가 아니라는 점을 상기하는 것이 중요하다. 예술가는 다른 여느 사람과 마찬가지로 명백히 자신의 행위에 책임을 진다. 예술가는 다른 사람들과 동일한 윤리적, 법적, 경제적 상황에 지배를 받는다. 생태주의적으로 책임 있는 예술가는 분리수거를 하고 전기 차나 기차로 작품을 운송하며 회화 작품은 당연히 뽁뽁이가 아니라 재생 재료로 포장하고 환경 친화적 물감을 사용한다. 무용단은 아마 연습실 온도를 1-2도 낮추거나 에어컨을 끄기로 한다든지 사무실에 중고 컴퓨터를 사다 놓을 것이다. 기후 문제를 위해 우리가 조정할 수 있는 건 무한하다. 우리는 창의력을 발휘하고 지구와 우리의 관계를 토론, 공유하기만 하면 된다.

그러나 예술가와 예술을 동일시하는 것은 아주 조금 위험할지도 모르겠다. 작품은 그 예술가의 정신이나 정치학, 정체성의 인과적 확장이 아니다. 물론 절대 완전히 독립적이지도 않지만 작품이 그리는 내용, 작품의 생김새, 분위기, 이슈, 무대에 페트병이 있는지 없는지, 댄서들이 비행기를 타고 왔는지 여부와 관련 지어 누군가를 평가하는 건 완전히 위험한 일이다.

그 선을 어디에 그어야 할지 아는 건 확실히 어려운 일이지만 어쩌면 바로 그 이유 때문에 우리는 특히 더 조심해야 하며, 모든 예술 작품은 분명 다양한, 심지어 서로 충돌하는 여러 가지 책임의 복잡한 연결망 안에서 작동한다. 예술은 자유를 위해 분투해야 하지만 그건 예술가가 재수 없게 굴거나 세금 납부를 까먹을 자유와는 다르며, 예를 들어 한편으로는 국가 지원금을 받는 기관이 사회와 맺는 관계를 대변하면서 동시에 예술가의 후견인, 무엇보다 예술 작품이 기회를 빼앗기지 않고 추구해야 할 자율성(자유)의 후견인이 되는 프로그래머와 큐레이터는 전혀 자유로운 게 아니다.

끔찍한 것들에 대해 글을 쓴다고 미셸 우엘벡이 나쁜 사람이나 파시스트여야 하는 것도 아니고, 신체 기형의 교황들을 그렸다고 해서 프란시스 베이컨이 천주교인을 몽땅 죽이겠다는 욕망을 키운 것도 아니며, 영화에서 사람들을 쏘거나 극히 폭력적인 영화를 몇 개 연출했다고 클린트 이스트우드가 총에 미친 사람인 것도 아니다.

확실히 이것은 단순화하는 주장이고 각각의 상황은 섬세하게 파악되어야 한다. 개인적으로 나는 책을 쓰기엔 쓸모 없는 주제들이 있다고 생각하고, 노골적인 폭력 장면을 들이대는 영화를 만드는 것, 가정 폭력에 대한 연극, 여자는 다 벗고 남자는 안 벗은 춤이 쓸데없다고 생각하지만 그건 작품을 만든 개인이나 팀을 윤리적으로 판단하는 것, 더 나쁘게는 그 사람을 블랙리스트에 올리라 주장하는 것과는 좀 다른 얘기다.

그럼에도 우리는 자유가 무책임이라든지 경찰은 엿 먹으라는 펑크식 태도와 동의어가 아니고 오히려 어떤 개인이나 집단에 더 큰 자유가 주어질수록 더 많은 책임이 따라온다는 사실을 상기해야 하겠다. 그리고 그 반대인 규제, 규범, 금지의 증가는 개인적 책임의 감소를 내포한다. 어떤 집단이 파시즘을 지지하는 한 가지 이유는 당연히 결정을 내리지 않아도 되고 책임지지 않아도 되는 위치가 되고 싶어서가 아닌가?

더욱이 자유는 일면적일 수가 없다. 자유를 주장하는 예술은 보호나 경청, 지원, 자금을 요청할 수 없다. 다시 말해 자신의 자유를 주장하는 예술은 그와 동시에 스스로를 자주적으로 만들며 관객, 관람객, 청중을 자유롭게 해 준다. 그것은 결국 예술이 지닌 약속이란 그 모든 축복과 두려움을 아우르는 오로지 자유에 대한 약속이라는 뜻이다.

모든 사회는 그에 마땅한 예술을 가진다. 예술은 자신이 속하여 창작되는 사회를 반영한다. 예술은 문화가 아니지만 예술을 가능케 한 문화는 은연중에 예술 안에 가시화되어 있다. 마찬가지로 모든 사회는 그 전반적인 생산, 부의 분배, 사유재산, 권력 등의 양식에 상응하는 미학을 필요로 한다.

18세기에 새로운 미적 체제가 발달 및 확립된 건 우연이 아니다. 예술의 감상, 가치, 시간성은 광범위한 사회 변화와 상응해야 했다. 봉건주의 혹은 귀족주의 사회가 근대 자본주의에 자리를 내주면서 삶을 영위하는 새로운 모델들이 필요했고 여기엔 예술도 포함되는 것이었다. 제시된 모델은 가장 정확하거나 우아하지는 않았을지 모르나 사회에 가장 어울리는 것이었다. 승인받은 미적 체제는 특정 시기의 전반적 생산 양식에 가장 이득을 줄 수 있는 체제였다.

오늘날 우리가 상당히 애쓰고 있는 미적 체제는 18세기 후반에 확립된 것으로서, 다른 무엇보다 먼저 임마누엘 칸트의 1790년 저서 『판단력 비판』에서 정립된 것이다. 이 책은 섬세하고 매우 복잡한 개괄을 통해, 비록 이 이슈를 직접 살피지는 않지만 예술을 통념적인 가치 형식으로는 건드릴 수 없게 하는 어떤 영역을 시사한다. 특히 칸트는 미적 체험, 즉 예술 작품이 지니는 잠재적 강밀도의 자율성을 설득력 있게 주장한다. 칸트가 자율적이라고 선언한 것은 작품 자체가 아니라 아무 관계도 연결할 수 없는 형태의 체험에 대한 가능성이다. 자신의 비어 있

음으로 가득한 체험이라고도 할 수 있을 것이며, 바로 이 비어
있음과의 조우에 담겨 있는 것이 우리가 앞서 살펴봤던 추상적
관념의 약속, 자율성, 혹은 '무조건적' 자유이다. 자유로운 개인
이 된다는 체험.

　　예술에 대한 칸트의 설명은 230년 동안 다양한 이유들, 무한
하다고까지 할 수 있는 이유들로 반박되어 왔는데 이것도 당연
히 사회가 세월에 따라 변화를 거듭하면서 변화해 왔다. 그러나
아직도 세상을 거의 지배하는 건 칸트의 미학이다ー실로 식민
주의적이기도 하다. 칸트 미학을 향한 비판에 담긴 핵심 문제는
자율성과 참여 간의 긴장이다. 칸트는 관심을 가지지 않고 예
술 작품을 관조해야 한다고 주장하는데, 이것은 작품이 정치적
제안이나 내용도 함께 담는다거나 어떤 식으로든 사회적, 정치
적 참여를 명시할 수는 없고 특히 기본적인 재현에 있어서는 더
욱 그렇다는 의미다. 그와 동시에, 예술이 무관심적 관조를 고
집할 경우에는 일정한 형태의 자유를 취할 수 있지만 예술이 정
치적 공간을 차지하는 순간 정보를 운반하는 그 어떤 개체, 참
여자, 상품과 똑같이 책임을 지게 된다. 칸트적인 위치에서 바
라보면 미적 판단과 윤리적 판단은 양립 불가능하고 그렇게 유
지되어야 한다.

　　예술이나 예술가 등의 관점에서는 자율성을 향한 욕망과 정
치적 개입 사이를 왔다 갔다 하는 진자의 움직임을 쉽게 감지할
수 있다. 특별한 대우나 자유를 주장하지만 정치적 개입을 털어
내는 자율성, 정치적으로 개입하지만 특권 상실의 위험을 감수
하고 사회적인 작품이나 커뮤니티 작품, 어쩌면 단적으로 프로
파간다가 되는 것.

자, 앞서 언급했듯 칸트는 서구 사회의 거대한 변화들 옆에서 미학 이론을 발전시켰다. 그러므로 그의 철학이 '성공적'이 되려면 사회 전반의 권력 구조에 어떤 식으로인가 틀림없이 이득이 되었을 것이다. 이 권력들은 자신의 이익과 행동을 정당화하기 위해 자기 시대의 철학, 사회 이론, 정치 모델 등등 온갖 것들을 필요로 했다. 분명 상호적 관계들로서 서로에게 자양분을 제공했지만 결코 이해관계가 빠지지 않았다. 미학을 포함하여 칸트의 철학은 식민주의 권력, 지구 자원의 무분별한 채취, 화석 연료 연소, 부의 축적, 젠더 역할 강화 등등과 관련된 이해관계들을 정당화해야 했다. 그렇다면 전반적으로 우리가 칸트 미학을 고수하는 한 우리는 고의적으로 지구를 파괴하는 사회 및 정치 질서, 사회 형식들에 대한 지속과 강화 또한 은연중에 뒷받침하고 있다는 생각은 너무 과한 걸까.

또한 우리의 문제는 칸트적 미학이 자본주의와 비슷하게 아주 끈끈하여 놓아주지를 않는다는 점이며, 실로 우리가 230년 동안이나 주입당한 뒤 칸트적인 미학도 아니고 반칸트적인 미학도 아닌 (둘은 결국 똑같은 거니까) 미학을 상상할 수 없다는 이유만 봐도 그렇다. 칸트적 미학이 제시하는 교착 상태를 교묘히 빠져나오는 건 불가능해 보이는데, 기존에 확립된 미적 체제의 유지와 강화 그 이면엔 압도적인 힘과 경제적 이해관계가 있기 때문에 더욱 그렇다. 결국 오늘날 예술이 확보하고 있는 결집된 가치는 그 미적 체제의 수호를 받으며 예술에 대한 이해가 변화할 경우 이 가치는 아마도 기가 꺾일 텐데, 그건 경제적 가치를 넘어서 사적이든 공적이든, 음성적이든 아니든 모든 종류의 제도와 관련한 가치 면에서 더욱 그럴 것이다.

하지만 우리가 정복은커녕 싸울 수도 없다고 한다면 예술의 생태, 우리가 예술을 생성, 인식하고 가치를 부여하는 통로가 되는 그 멘탈리티 안에서 변화를 잉태하는 방법이 있을지 모른다. 우리는 예술을 만들 수 없고 반예술을 만들 수도 없다. 물론 예술 창작을 멈추고 포기한 채 뭔가 합리적인 일을 할 수도 있고, 언뜻 불가능해 보이지만 예술의 멘탈리티를 예술인 동시에 예술이 아닌 무언가로 바꾸는 과제에 착수할 수도 있다.

이것은 사변적이어야만 하는 예술, 개시자도 수용자도 확인해 주지 않는 예술, 그 어떤 예술 잡지에도 양쪽 펼친 면으로 실리지 않을 예술이다. 이것은 분명 아방가르드도 아니고 아마 (적어도 그 외양에 있어서는) 실험적이지도 않을 것이다. 이것은 나 자신을 위해 만들 수 없는—제대로 사변적이려면 창작자를 창작자로 확인해 줄 수 없기 때문에—예술이자 관객이 구조적으로든 지식과 관련해서든 자신과 동일시할 수 없기에 관객을 위해서 만들 수도 없는 예술이며 예술, 예술 전반을 위해 창조되는 예술, 그것을 위해 개시되는 과정이다. 예술이 살아가기 위해서, 꽃 피고 변화하고 변신하기 위해서, 우리를 잠들 수 없게, 혼란스럽게, 희망을 갖게 하기 위해서. 이것은 자유의 약속을, 이 행성과 대지와 세계와의 조화 속에서 삶을 영위할 수 있다는 희망을 고집하는 예술이다.

## 마텐 스팽베르크
### Mårten Spångberg

여러 영역에 걸쳐 활동하는 안무가, 무용 이론가. 확장된 영역에서의 안무, 다양한 형식과 표현을 통한 안무의 실험적 실천 등이 주된 관심사이며 다층적 형식을 띤 실험적 실천을 통해 이 문제들에 접근해 왔다. 2008년부터 2012년까지 스톡홀름의 무용 대학교에서 안무학을 이끌었고 2011년 『스팽베르크주의』를 출간했다. 최근에는 생태학과 후기 인류세 미학에 관한 작업을 발표하고 있다.


### 이경후

공연 관련 통번역을 하고 있다. 광주 아시아예술극장 개관 페스티벌, 페스티벌 봄 등에서 일하고 뮤지컬과 연극 등의 연출 통역을 했다. 책 『a second chance: 눌변』과 『거의 모든 경우의 수: parlando』를 만들었다.

그들은 야생에 있었다
they were in the wild

마텐 스팽베르크 지음
이경후 옮김

초판 1쇄 발행 2021년 2월 26일
발행 작업실유령
편집 김신우, 박활성
디자인 슬기와 민
제작 으뜸 프로세스

고마운 사람 게오르그 되커, 시드니 반즈, 이경후, 김신우

제작 지원
스웨덴예술위원회(The Swedish Art Council)
스웨덴예술기금위원회(The Swedish Art Grants Committee)
공연예술기금(Fonds Darstellende Künste)

스펙터 프레스
16224 경기도 수원시 영통구 대학로 109 (202호)
specterpress.com

워크룸 프레스
03043 서울시 종로구 자하문로16길 4, 2층
workroompress.kr

문의
전화 02-6013-3246 팩스 02-725-3248
workroom-specter.com
info@workroom-specter.com

ISBN 979-11-89356-49-1 04600 / 979-11-89356-47-7 (세트)
비매품